¡Fuera culpas!

¡Fuera ¡culpas!

El secreto de las madres trabajadoras felices

CATHY L. GREENBERG
doctora en Filosofía
y
BARRETT S. AVIGDOR
doctora en Derecho

Traducción de Carmen Ternero Lorenzo

viceversa
EDITORIAL

GIROL SPANISH BOOKS
P.O. Box 5473 Stn. F
Ottawa, ON K2C 3M1
T/F 613-233-9044 www.girol.com

www.editorialviceversa.com

Título original: *What Happy Working Mothers Know. How New Findings in Positive Psychology Can Lead to a Healthy and Happy Work /Life Balance*

ISBN: 978-84-92819-32-4
Depósito legal: M-48480-2010
Impreso por Dédalo Offset, S.L.
Printed in Spain - Impreso en España

*La alegría de ser una mujer feliz y una madre trabajadora feliz
se deriva de mi hija, el amor de mi vida,
Elisabeth Oriana. Este libro se lo dedico a ella
y al fascinante espíritu de alegría con que ha elegido vivir
como mi último reflejo en esta vida.*
Cathy L. Greeenberg

*Quiero dedicar este libro a mi marido, Alain,
y a mis maravillosos hijos, Alexander y Harrison.
Vuestro amor y apoyo incondicional
me llenan de alegría y fortaleza.
Y a mi madre, Caryl Starobin,
que fue mi primer modelo de madre trabajadora.*
Barrett S. Avigdor

Índice

Prólogo

Ayudar a las madres trabajadoras ha sido mi pasión y mi trabajo durante treinta años. Como directora del Working Mother Media, he tenido la oportunidad de colaborar con un gran número de hombres y mujeres extraordinarios que se han dedicado en cuerpo y alma a hacer que la vida de las mujeres trabajadoras resulte algo más fácil. Cathy Greenberg y Barrett Avigdor se han comprometido a ayudar a las madres trabajadoras para que no se conformen con un «ir tirando» y busquen la verdadera felicidad y la alegría de vivir.

Ya en nuestra primera conversación, me convencieron con el método científico que aplican a lo que podría parecer un asunto de poca importancia. Después de todo, la felicidad no es algo en lo que solemos pensar como una cuestión de salud o como un elemento esencial para obtener un alto rendimiento en el trabajo. Muchas madres trabajadoras, abrumadas por listas interminables de cosas que hacer, están convencidas de que la felicidad es un lujo, si tal cosa existe. También hay quienes piensan que son felices por el mero hecho de haber conseguido trabajar y ser madres. En términos generales, todas ellas están encantadas con sus hijos y a muchas les gusta su trabajo. Sin embargo, en el día a día, estas mismas mujeres nos dirán que están demasiado agobiadas o cansadas como para disfrutar de verdad de sus hijos o de su trabajo. Y el sentimiento de culpa les arrebata cualquier migaja de alegría que logren encontrar.

Este libro os demostrará que la felicidad es una necesidad. Para ser mejores en nuestro trabajo y como madres, tenemos que tomar decisiones que nos hagan felices. Y deshacernos del sentimiento de culpa es una de ellas. Cathy y Barrett os convencerán de que vuestra felicidad es fundamental para el bienestar de vuestra familia y para conseguir el mayor rendimiento posible en vuestro trabajo. Además, también os enseñarán el camino que lleva a la felicidad, como quiera que la defináis.

Las madres trabajadoras hemos dado pasos de gigante en las últimas décadas: se nos ha reconocido como una parte importante de la población activa, y hemos roto muchos estereotipos e ideas preconcebidas sobre lo que las madres trabajadoras pueden o no pueden hacer. Este libro nos lleva al paso siguiente. Nos enseña cómo coger toda la libertad que nos hemos ganado en los últimos cuarenta años y encauzarla hacia la decisión más íntima: ser felices.

Cathy y Barrett tienen un mensaje muy importante que compartir con las madres trabajadoras, con sus familias y con sus jefes. Es un mensaje que os abrirá los ojos para que veáis un mundo lleno de posibilidades. Ellas os proporcionarán los instrumentos necesarios para empezar a tomar las decisiones que os llevarán a una vida de alegría y felicidad plenas.

Carol Evans
Directora de Working Mother Media

Prefacio

Como ya os habréis imaginado, cada una de nosotras llegó a este libro con una experiencia vital distinta, pero ambas convencidas de lo importante que es la felicidad y con las mismas ganas de compartir esta visión de la vida con todas las mujeres.

Cathy pertenecía a la alta sociedad y viajaba por todo el mundo como asesora internacional de las empresas pertenecientes al ranking de las Fortune Global 500 cuando se topó con el «muro de la vida», que la obligó a cambiar sus prioridades y a reorientar sus esfuerzos si no quería perder a su familia, el trabajo e incluso la vida. Además de ser la primera colaboradora de una de las empresas más importantes de ámbito mundial, también fue la primera directora ejecutiva que fundó una asociación de liderazgo. Cathy tuvo la suerte de contar con grandes mentores y de haber escrito varios libros premiados, como *Global Leadership: Next Generation* con Marshall Goldsmith, *The Future of Leadership* con Warren Bennis y, más recientemente, *Empresas felices = Empresas rentables* y *What Happy Women Know* con Dan Baker. Tiene una familia a la que adora y, aunque sus padres hayan fallecido, cuenta con su hija, sus dos hermanos y las hijas de éstos. Todos ellos siguen enseñándole a ser feliz como mujer, madre y asesora profesional.

Barrett ha disfrutado de una próspera carrera profesional como abogada internacional. Estudió con el programa Fulbright en Brasil y se licenció en la Universidad de Derecho de Chicago, por lo que pudo combinar sus habilidades legales con su amor por las distintas culturas y los viajes. Con una buena ética profesional, excelentes mentores y un poco de suerte, ha logrado construirse una sólida carrera. A pesar del éxito, tomó la insólita decisión de mudarse de Chicago a Tucson (Arizona) en el año 2000, cuando sus dos hijos eran aún muy pequeños. Gracias a este traslado, pudo dedicarse por completo a su hogar y a la abogacía, al tiempo que se dio cuenta de lo importante que era poder contar con la familia y un grupo de amigos que la ayudaran con los niños cuando tenía que viajar. Este traslado fue la primera gran decisión que tomó guiada por su afán de alcanzar la felicidad y, desde luego, fue la mejor que pudo tomar, puesto que le permitió pasar mucho más tiempo con sus hijos, Alexander y Harrison, y su marido, Alain. Sin ellos, no habría llegado a ser una madre trabajadora feliz.

Cuando hace diez años nos conocimos, un domingo por la tarde, en una reunión en la que planeábamos un acuerdo de subcontratación, jamás nos habríamos imaginado que fuéramos a mudarnos a la misma ciudad, lejos de nuestras raíces, y unir nuestros esfuerzos para escribir *Fuera culpas. El secreto de las madres trabajadoras felices*. Estamos encantadas de poder compartir nuestras historias y las de tantas otras mujeres como vosotras, cuyos sueños y esperanzas se reducen nada más y nada menos que a poder disfrutar de todo lo que esta vida nos ofrece.

Esperamos que os unáis a nosotras para descubrir cómo la nueva ciencia de la felicidad puede mejorar vuestras vidas, para alcanzar la satisfacción y la paz como mujeres y madres, y lograr lo que os hayáis propuesto en casa y en el trabajo. Nos encantaría que compartierais con nosotras vuestras ideas, pasiones, observaciones y, lo que es más importante, vuestras alegrías, en:

www.WhatHappyWorkingMothersKnow.com

Con toda la felicidad,
Cathy Greenberg y Barrett Avigdor

Introducción

La maternidad es el trabajo más satisfactorio que cualquier mujer puede tener. Las madres no sólo alimentamos a nuestros hijos, sino que también influimos en sus vidas y condicionamos el ambiente del hogar. Los padres desempeñan un papel fundamental, pero las madres somos las directoras ejecutivas de nuestros hogares y, al igual que en el mundo empresarial, nuestro estado de ánimo afecta al de toda la familia.

Ver y criar a nuestros hijos conforme van creciendo nos llena de alegría y nos proporciona muchos momentos de felicidad. Unos hijos sanos, un buen trabajo, una buena pareja, los amigos y la familia forman parte de una vida feliz. La verdadera felicidad, profunda y duradera, va más allá de estar agradecidas y de la ausencia de sufrimiento. La felicidad es un modo de ver la vida. Llega cuando conseguimos organizar nuestras vidas conforme a nuestros valores; cuando aprendemos a amarnos y a perdonarnos, a nosotras mismas y a los demás, y cuando descubrimos la alegría en los pequeños detalles de cada día.

A veces, las madres trabajadoras nos damos cuenta de que la alegría de criar a nuestros hijos se ve ensombrecida por las responsabilidades y exigencias del trabajo, ya sea a tiempo completo o a media jornada. Sin embargo, todas podemos elegir entre rendirnos ante ellas o bien esforzarnos por buscar un equilibrio que nos aporte fuerza y energía. Si nos tomamos en serio nuestra propia felicidad, podremos llegar a ser mejores madres, mejores trabajadoras y mejores parejas.

Millones de mujeres logramos combinar la maternidad y el trabajo día tras día, y pruebas fehacientes de ello son nuestra felicidad, el equilibrio de nuestros hijos, la unión de nuestras familias y el éxito en nuestros trabajos. El trabajo y la maternidad no son un juego de suma cero, sino que ambos se realzan mutuamente.

El sentimiento de culpa es enemigo de la felicidad. Nos sentimos culpables porque creemos que, de algún modo, estamos perjudicando a nuestros hijos cuando salimos a trabajar. Y también nos sentimos culpables por dedicarle al trabajo menos horas de las que le dedican los compañeros que no tienen hijos. Además, la sociedad nos dice que trabajar pone en peligro el bienestar de nuestros hijos, así como la estabilidad de nuestros matrimonios, al mismo tiempo que nos transmite el mensaje de que es imposible tener un matrimonio feliz y unos hijos felices junto con una buena vida profesional, cuando, en realidad, es compatible.

Si aprovechamos la riqueza de la vida, disfrutaremos de una felicidad capaz de resistir en los momentos más difíciles, independientemente de la situación en que nos encontremos: ya sea trabajando por horas o con un alto cargo ejecutivo; luchando por llegar a fin de mes como madres solteras o atrincheradas al abrigo de una buena relación de pareja.

La felicidad es una fuerza energética que produce una diferencia positiva en tu vida, en la vida de tus hijos, en tu trabajo y en tu carrera. No se trata de obsesionarse con las gratificaciones inmediatas, ni de esperar que el mundo sea un lugar perfecto. Se trata de preparar el terreno para ser lo mejor que podamos y dar lo mejor de nosotras mismas en nuestro trabajo y a quienes nos rodean. Una madre trabajadora siempre ve el vaso medio lleno, o a veces a rebosar, pero jamás lo verá medio vacío.

Lo más seguro es que ahora estéis pensando: «¡Genial! Seré encantadora y feliz, y hasta me dará tiempo a cantar el Kumbayá... tal vez en otra vida, con un poco de suerte». Pero antes de caer en el cinismo, párate a pensar en el siguiente test sobre el poder que tu felicidad ejerce sobre los demás:

Piensa en un momento feliz de tu vida, cuando te sentías bien y rebosante de alegría. ¿Cómo te comportabas? ¿Cómo le hablabas a la gente? ¿Y cómo te contestaban ellos? Lo más normal es que sintieras que todo iba bien, que superaras los contratiempos sin gran dificultad y que, si sonreías, los demás te devolvieran la sonrisa, porque la felicidad es una fuerza positiva que influye en la vida de todos.

Todo empieza cuando decides si quieres ser feliz o no. Todas podemos dar un enfoque positivo a nuestra vida, sacar el máximo provecho de lo que tenemos, ver las cosas buenas, y disfrutar de nuestro trabajo, de nuestra familia y de nuestras vidas... o podemos optar por una competitividad despiadada, el agotamiento, las excusas, la culpa, la angustia, la miseria y el victimismo. Éste es un libro que habla del triunfo y de cómo ayudar a las madres trabajadoras a vencer la energía negativa que nos rodea y aprender a adoptar una actitud positiva ante la vida. Es un cambio de perspectiva que te permitirá disfrutar de una vida llena de alegría.

Debido al pragmatismo de nuestra sociedad (sobre todo por lo que se refiere a la economía y los negocios), es muy fácil que descartemos la felicidad como un lujo innecesario y una pérdida de tiempo que nos agota y aparta de lo esencial, cuando en realidad ocurre todo lo contrario: un enfoque positivo mejora nuestro rendimiento, ya sea en la sala de juntas, en el aula o en casa, mientras que la falta de felicidad nos afecta negativamente.

Consideremos algunos datos:

- Las mujeres trabajadoras no están solas. Según la Subdirección General de Estadísticas Sociales y Laborales de Estados Unidos y el informe mensual del censo sobre la Encuesta de Empleo Anual: en 2007, casi 25,7 millones de madres con hijos menores de edad formaban parte de la población activa de Estados Unidos; una cifra que supone casi el doble que en 1975.[1]
- Los empresarios de Estados Unidos pierden más de 300.000 millones de dólares al año a causa del estrés de sus empleados, lo que se manifiesta en un creciente absentismo, suplencias, disminución de la productividad, gastos médicos, legales y sanitarios, e indemnizaciones. Para que quede más claro: diez veces el coste de todas las huelgas juntas.[2]
- Tal y como afirma un estudio que en 2006 llevó a cabo el proyecto de Trabajo, Comunidad y Familia de la Universidad de Brandeis y Catalyst, una

organización sin ánimo de lucro líder en el campo de la investigación y la asesoría, una buena parte del estrés —y por tanto, del coste— es el resultado de la disminución de la productividad de los padres, preocupados por lo que harán sus hijos después del colegio.[3]

- Como estimó en 2007 el Instituto Americano de Medicina Ambiental y Ocupacional: el agotamiento por causas laborales —más común en mujeres que en hombres— les cuesta a los empresarios unos 136.000 millones de dólares al año en concepto de baja productividad.[4]

Fuera culpas trata de cómo ser la mejor madre y la mejor trabajadora mediante una verdadera inversión en tu felicidad. Puedes aprender a ser feliz independientemente del periodo de tu vida en que te encuentres, sin importar lo nerviosa, agobiada o triste que estés. Y aunque estés contenta en este momento, aprenderás a mantener esa alegría cuando las cosas no vayan bien. Te enseñaremos unos cuantos pasos que has de seguir para cambiar tu actitud y tu forma de ver las cosas, así como una serie de técnicas para descubrir la felicidad en la vida que tienes, y no en la que te gustaría tener. En cuanto la descubras, aprenderás a ser una madre mejor, una esposa mejor, una empleada o jefa mejor, una persona mejor, e incluso te sentirás mejor contigo misma.

Durante la campaña electoral, la que después sería primera dama, Michelle Obama, resumió lo que nosotras esperamos transmitirte en una conferencia de Women for Obama en Chicago, Illinois, el 28 de julio de 2008:

[...] A las familias en las que ambos padres trabajen y tengan que compaginar sus trabajos, con el cuidado de los hijos e incluso tal vez de unos padres mayores, podrá parecerles que el sueño americano se les está escurriendo entre las manos. Durante esta campaña, he tenido la ocasión de hablar con muchas madres trabajadoras de todo el país. Algunas apenas llegan a fin de mes porque sus sueldos no están creciendo al ritmo con que suben los precios de los alimentos o de la gasolina. He hablado con madres a las que les preocupa tener que dedicarle tiempo a un hijo que está enfermo, y con futuras madres que temen que sus jefes las despidan en cuanto descubran que están embarazadas [...] La finalidad de este opúsculo [Women for Obama] es ayudar a las mujeres a reclamar sus sueños y los de sus familias; darles una mano, y no una limosna.

Éste no es un libro de quienes no practican lo que predican, de casos irreales, con frases engañosas o jerga complicada, sino todo lo contrario: en *Fuera culpas* os hablamos de historias reales, gente real, experiencias reales, madres reales, trabajos reales, lugares de trabajo reales, privaciones reales, dificultades reales, soluciones reales y alegrías reales. Nuestro fundamento es la ciencia de la felicidad, no algo contrahecho ni una cantinela de esperanzas ilusorias, sino un estudio basado en hechos científicos.

De las mil mujeres a las que entrevistamos para preparar este libro, casi todas afirmaron que la maternidad les había ayudado a ser mejores en su trabajo. Después de todo, ser madre es una estupenda escuela de liderazgo. Como directoras ejecutivas de nuestros hogares, las madres establecemos las reglas, marcamos el ambiente y hacemos todo lo que está en nuestras manos para que todos los miembros de nuestras familias tengan éxito en la vida. Hemos hablado con estas madres sobre cómo se organizan en sus familias, cómo se las arreglan, cómo triunfan y cómo logran la felicidad cuando se les presentan obstáculos infranqueables, dificultades insuperables y situaciones desesperadas. Y también hemos hablado con sus hijos, que se apresuran a refutar los mitos que han tenido que superar porque sus madres trabajaban.

Os mostraremos, asimismo, cómo podéis redirigir vuestras energías para encontrar y crear alegría en vuestra vida, y cómo desechar el sentimiento de culpa, que supone un gran obstáculo para la felicidad de cualquier madre trabajadora. No importa hasta qué punto se unan todas las dificultades en tu contra. Piensa en la alegría que sientes al ver sonreír a tu hija, o en la satisfacción que te da un «¡bien hecho!» de tu jefe o incluso en un proyecto que llega a buen puerto. Seguro que no es fácil llevar a tu hijo a rastras al entrenamiento de béisbol llueva o truene, pero su sonrisa sincera cuando consigue llegar a la base hace que todo valga la pena. Estos pequeños momentos de felicidad, los pequeños triunfos y alegrías que tantas veces pasamos por alto son lo que dan sentido a la vida. Nosotras te enseñaremos a descubrir la hermosura y la alegría de la vida que tienes, más que a soñar con otra distinta.

Las madres trabajadoras son, ante todo, madres. Según un estudio que llevó a cabo en 2005 el Instituto de Valores Americanos sobre las actitudes y preocupaciones que conlleva la maternidad, el 81% de las madres afirmaron que ser madres es lo más importante que han hecho en sus vidas.[5]

En *Fuera culpas. El secreto de las madres trabajadoras felices* hablaremos de los motivos científicos por los que la felicidad estimula la vida personal y profesional. Hablaremos con los expertos sobre el poder de la psicología positiva y te ayudaremos a entender por qué centrarnos en lo bueno, y no en lo malo, puede transformar tu vida, tu trabajo y tu familia.

Otros lo han hecho y tú también puedes hacerlo. Algunas mujeres que van a contarnos sus historias son:

- **Kim Martin**, presidenta y directora general de WE TV. Madre de dos hijos. A pesar de tener un jefe que intentó disuadirla de que siguiera con su cargo en la cadena y aunque tenía algunas dudas, siguió adelante y triunfó. ¿Hasta qué punto? ¡Su hija pequeña está deseando ocupar su puesto algún día!
- **Sharon Allen**, madre de dos hijos y ayudante del jefe de policía de Tucson (Arizona), sacrificó la vía más directa que podía llevarle a alcanzar sus metas profesionales para pasar más tiempo con sus hijos. Al final logró sus objetivos, como mérito por su gran capacidad de gestión del tiempo... «¡Y jamás dejé de ser una buena madre!».
- Mucho antes de que se refiriera a la Casa Blanca como a su hogar, la primera dama **Michelle Obama** era una mujer de carrera que ayudaba a salir a flote a su familia con su sueldo. Como madre, Michelle Obama dice que no habría podido hacerlo sin un sistema de apoyo que la respaldara como madre a la hora de criar a sus dos hijas. «Ha sido de gran ayuda para mis hijas y para mí».

- **Benita Fitzgerald Mosley** fue la primera mujer afroamericana medallista de oro olímpico en los 100 metros vallas. Pese a ello, la prensa apenas apreció su éxito. Sin embargo, en vez de sentirse resentida, Mosley siguió mostrándose orgullosa y convirtió lo que había aprendido en un gran éxito tanto en el campo profesional como en el familiar. Ahora tiene dos hijos y desde hace mucho tiempo es presidenta de Women in Cable Telecommunications. «Se aprende de todas las experiencias de la vida, y las experiencias siempre mejoran».
- **Yolanda** se casó con 16 años y tuvo a su primer hijo un año más tarde. Hoy, catorce años y cuatro hijos después, sigue felizmente casada y trabaja en el mismo centro de distribución Wal-Mart en el que trabajan su marido y otros miembros de su familia. «Crear el ambiente es como cambiar de zapatos. En el trabajo, yo soy la jefa. En casa, me pongo las zapatillas y me relajo. Y si me pongo los tacones, soy capaz de pasarme toda la noche bailando».

El dilema que supone la búsqueda de la felicidad como madre trabajadora no es exclusivo de Estados Unidos. Cada cultura presenta sus propios problemas y circunstancias. Para preparar este libro hemos hablado con más de mil mujeres de distintos países —Estados Unidos, Brasil, China, Argentina, Países Bajos, Gran Bretaña y Francia, entre otros— que ocupan altos cargos en grandes compañías, que se encuentran a mitad de su carrera o que conducen carretillas en almacenes. Cada una se ocupa de su trabajo y de su familia a su manera, pero la similitud entre los distintos grupos es impresionante. Adoran a sus hijos y a casi todas les gusta lo que hacen, pero tienen que hacer frente a un fuerte ritmo de trabajo y a las urgencias que parecen recaer siempre en ellas. En estas páginas nos hablarán de sus historias, de sus luchas y de las esperanzas que las motivan y guían en su propio camino hacia la felicidad.

A lo largo del libro también incluimos unos sencillos ejercicios, «Pausa de *coaching* personal», así como otros más largos al final de cada capítulo, «Balance final». Con estos ejercicios aprenderás a aplicar los conceptos que presentamos en el libro. Nuestro objetivo es proporcionarte los instrumentos que te permitan llevar al máximo tu capacidad intelectual, desarrollar tu nivel de autoconciencia y aprender a dar lo mejor de ti día tras día.

A fin de ayudarte a entender las posibilidades reales de la felicidad, *Fuera culpas* también incluye las historias personales de algunas madres que han conseguido vencer todos los obstáculos («Historia de una madre» y «Feliz de verdad»). Sus historias te ayudarán a entenderte a ti misma y a comprender cuáles son tus necesidades, tus vínculos y cómo lograr la felicidad.

En algunos casos hemos mantenido el nombre real de las madres, mientras que en otros los hemos cambiado o hemos combinado varias historias para preservar su privacidad y la de sus hijos.

Este libro es el primer paso hacia tu felicidad. Una felicidad que puedes alcanzar.

Nosotras —las coautoras Cathy L. Greenberg, doctora en Filosofía, y Barrett S. Avigdor, doctora en Jurisprudencia— te guiaremos por el camino que lleva a la felicidad. Las dos somos tutoras certificadas de *coaching* ejecutivo y personal, y entre las dos contamos con cincuenta años de experiencia en el mundo de los negocios en diversas ramas de la industria. Ambas somos especialistas en la aplicación de la ciencia de la felicidad a la práctica del *coaching*. Este libro se convertirá en tu tutor de bolsillo, que te orientará por tu camino hacia la felicidad, puesto que representa tu acceso a la información, a la toma de conciencia y a las técnicas que necesitas para ser la mejor madre trabajadora que puedas llegar a ser, tanto en el trabajo como en casa.

Nuestro sueño es ayudar a las mujeres a alcanzar la felicidad y a reclamar sus vidas como madres, como mujeres y como profesionales, sin importar el tipo de trabajo que realicen, ni su nivel de ingresos, ni cuáles sean las dificultades personales que tengan que afrontar. Tanto si eres cocinera de comida rápida como si te encargas de la gerencia de una de las quinientas compañías con más ingresos del mundo (Fortune Global 500), tú sigues siendo la directora ejecutiva de tu vida. Lo que nos impulsó a escribir este libro fue el afán de ayudar a las madres trabajadoras que no tienen el tiempo o el dinero suficiente para poder permitirse el tutor de *coaching* ejecutivo o personal que necesitan. Por mucho que te falten el tiempo o los medios, lo que queremos es ayudaros a ti y a todas las mujeres del mundo a dar lo mejor de vosotras mismas, así como a todos los que os quieren y disfrutan trabajando con vosotras. Aunque todavía no hayáis encontrado a nadie que os oriente, tenéis que ser conscientes de lo importante que es vuestra felicidad y del impacto que ésta tendrá en vuestra capacidad de dar lo mejor de vosotras mismas, tanto en casa como en el trabajo.

Como madre, una buena parte de tu tarea consiste en hacer que otras personas lleguen a tener éxito en sus vidas. Pero sólo podrás hacerlo si te tomas la tuya en serio. En *Fuera culpas. El secreto de las madres trabajadoras felices* encontrarás historias que te motivarán y todas las claves necesarias para conseguirlo.

Esperamos que este libro te ayude a alcanzar la felicidad.

Capítulo 1

La felicidad no es un lujo, es una necesidad

Ser madre es el trabajo más difícil que hay.
Es más fácil ser médico que madre.
Ser madre es un trabajo de 24 horas al día,
7 días a la semana, 365 días al año. Y para siempre.
—Victoria, médico y madre de tres hijos

Como madre trabajadora, independientemente de tus circunstancias y por el simple hecho de vivir, puedes alcanzar la felicidad si te lo propones. Todos necesitamos ser felices, todos nos lo merecemos y todos podemos conseguirlo. No se trata de un lujo reservado a unos pocos ricos que pueden contar con el tiempo y la ayuda necesarios.

La felicidad es una responsabilidad y una elección personal. Es un regalo, pero no nos lo hace nadie, sino que parte de nuestro interior. Como madres trabajadoras, nos debemos este regalo a nosotras mismas, a nuestras familias y a nuestros trabajos. Después de todo, la felicidad nos ayuda a ser mejores en todo lo que hacemos. Los estudios científicos y conductuales, así como los realizados por los departamentos de recursos humanos, lo confirman. Y las madres trabajadoras y felices nos lo demuestran día tras día.

Al hablar de felicidad, no queremos decir que haya que pasarse todo el día sonriendo y canturreando alegres canciones. Nosotras nos referimos a la felicidad que te permite disfrutar de tu vida al sentirte completa como madre, amante, esposa, trabajadora, jefa, o todo al mismo tiempo.

Tomarnos una pastilla o leernos un libro no hace que nos sintamos felices, así, de repente, puesto que la felicidad no depende de una cosa. La felicidad nace del modo en que nos vemos a nosotras mismas y a nuestras familias, de cómo vemos nuestro trabajo y nuestra vida de cada día. Es una elección positiva que hay que hacer a diario, independientemente de las circunstancias en que nos encontremos, y será lo que marque la diferencia en cada una de nosotras como madres, trabajadoras, esposas o parejas.

Consejo para la felicidad: aprende a quererte a ti misma igual que quieres a tus amigos y a tu familia.

Como te sientas influirá en todos los que te rodean. Si no estás convencida, haz una prueba. Un día, haz como si estuvieras de buen humor. Sonríe, ofrécete para ayudar a los demás y actúa con alegría. Exagera, pero siempre dentro de unos límites que hagan creíble tu actuación. Y analiza el comportamiento de los demás. Lo más seguro es que te pregunten y compartan sus ideas contigo. Otro día, haz lo contrario. Compórtate como si estuvieras de mal humor. Frunce el ceño y permite que tu lenguaje corporal diga por sí mismo: «¡Dejadme en paz!». Compara los resultados, y ya verás hasta qué punto tu humor influye en los demás y en el modo en que se relacionan contigo.

Historia de una madre

Beth tiene tres hijos y trabaja en un centro de distribución de Wal-Mart, en la región central de Estados Unidos. Le encanta su trabajo, y con su familia se siente relajada y feliz. Pero no siempre ha sido así. Cuando trabajaba como guardia de prisiones, Beth decía que era una persona dura y negativa, y que terminó transmitiéndole a toda la familia esa negatividad.

Tú te mereces la felicidad

La felicidad es un derecho que tienen todas las madres trabajadoras todos los días de su vida. Todos podemos y debemos disfrutar de nuestras vidas, carreras, relaciones e hijos. Ya trabajemos por necesidad económica, para sentirnos bien, o por ambos motivos, todos podemos elegir entre sentirnos satisfechos al encontrar un buen equilibrio entre el trabajo y la familia, o bien dejarnos arrastrar por la feroz competitividad de la vida moderna. El estrés y la fatiga que cada día nos producen el trabajo, las exigencias de los hijos, y los deberes y responsabilidades que se derivan del cuidado de la casa y la familia refuerzan nuestra necesidad de felicidad. Pero también pueden entorpecerla si se lo permitimos.

Según un estudio que realizó en 2007 la compañía de servicios de consultoría y tecnología Accenture (NYSE: ACN), cerca del 70% de las madres trabajadoras estaban convencidas de que no tenían por qué «privarse de nada» como madres ni como trabajadoras. Y en la encuesta que propusimos por Internet a setecientas madres trabajadoras que ocupan medios y altos cargos directivos, obtuvimos los siguientes resultados:

- A casi el 90% les gusta trabajar y les gustaría seguir adelante si pudieran trabajar con contratos de jornada completa, de media jornada, o con horarios flexibles.
- Más del 74% de las madres trabajadoras se sienten satisfechas porque consideran «adecuado» el equilibrio que logran mantener, siempre o casi siempre, entre su vida profesional y familiar.

Sin embargo, no siempre resulta fácil encontrar este equilibrio. Aunque en muchos casos tan sólo es cuestión de proponérselo, primero tendremos que replantearnos algunos comportamientos. Vamos a verlos en detalle.

¿Qué es la felicidad?

La felicidad es el objetivo y el sentido de la vida;
el fin último de la existencia humana.
—Aristóteles, 384-322 a.C.

La felicidad es distinta para cada uno, es «la experiencia total del sentido y el placer», como la define Tal Ben-Shahar, doctor en Psicología, autor de *Ganar felicidad: Descubre los secretos de la alegría cotidiana y la satisfacción duradera*, y profesor de un curso muy famoso de la Universidad de Harvard que versa sobre psicología positiva aplicada a la felicidad.

En *Fuera culpas*, definimos la felicidad como vivir la vida de acuerdo con tus valores y saber encontrar la alegría en los pequeños detalles cotidianos. La alegría puede ser tan sencilla como admirar la sonrisa de un niño o ayudar a un anciano a cruzar la calle, o tan compleja como llegar a un acuerdo en el trabajo o conseguir un ascenso. Todas estas cosas pueden proporcionar satisfacción. Pero la felicidad, tal y como nosotras la definimos, es un estado mental duradero. Vamos a analizar lo que hace que las madres trabajadoras logren llevar una vida feliz a largo plazo y cómo puedes aprender a hacerlo tú también.

Perspectivas de la felicidad

Cada uno define la felicidad a su manera. He aquí las respuestas que dio un grupo de madres trabajadoras, con hijos de edades comprendidas entre los 8 meses y los 23 años, cuando les preguntamos: ¿Qué es la felicidad?

- «Flexibilidad y equilibrio», dijo Lisa, que tiene un trabajo de media jornada que realiza desde su casa. Edad de sus hijos: 23 y 21 años.

(continúa)

- «Ser un modelo para los demás y demostrar que las familias pueden ser distintas y, aun así, ser felices», dijo Zoe. Edad de sus hijos: 11 y 7 años.
- «Tener éxito tanto en casa como en el trabajo», dijo Reveka. Edad de su hijo: 9 años.
- «Sentirse satisfecha como madre, en el trabajo, como esposa y a nivel personal», dijo María. Edad de sus hijos: 15 y 13 años.
- «Saber que puedo ser un ejemplo para los demás, sobre todo para que mi hermana se dé cuenta de cómo se trabaja en equipo», dijo Elizabeth. Edad de su hijo: 8 meses.
- «Poder delegar en los demás, ¡y que no tenga que hacerlo todo yo!», dijo Sierra. Edad de sus hijos: adolescentes.
- «A mí me parece que la idea de la introspección está superada. La felicidad es sentirse satisfecho», dijo Susan. Edad de sus cuatro hijos: adultos.

Tu estado de ánimo

La verdadera felicidad es tu estado de ánimo, una forma de vivir que genera energía positiva para ti y para todos los que te rodean en casa y en el trabajo. Algunos empresarios con amplias perspectivas de futuro se han dado cuenta de que un empleado feliz es un empleado mejor, y esto se refleja en los ingresos: la felicidad implica grandes beneficios. Lo mismo pasa con las madres trabajadoras. Nosotras también podemos aprovechar lo que se aprende en los campos de batalla de las juntas directivas y las luchas corporativas para aplicarlo a nuestra búsqueda de la felicidad.

«Lo que aprendes en la junta se puede aplicar en casa y en la sociedad, y viceversa —afirma Benita Fitzgerald Mosley, madre de dos hijos y presidenta y directora ejecutiva de Women in Cable Telecommunications—. Se aprende de todas las experiencias de la vida, y las experiencias siempre mejoran —añade la medallista de oro olímpico de 1984—. Siempre me ha gustado la interacción de todas las facetas de la vida, que me ha hecho llegar a ser quien soy. Me encanta ser hermana, madre y una mujer de carrera. Llevo 13 años casada y tengo dos hijos. Estoy muy contenta de ser madre y ejecutiva».

Mentalidad positiva

La felicidad es un estado mental que nos lleva a centrarnos en los aspectos positivos y en las personas que forman parte de nuestras vidas, en las cosas y personas que apreciamos. Como hace Mosley, se trata de adoptar una mentalidad positiva en vez de quedarnos con una mentalidad negativa; de dar importancia a lo que va bien, y no estancarnos en lo que va mal. Es la decisión consciente de mirar más allá de las imperfecciones y aprender a ser felices.

Jenny es madre soltera, ha sobrevivido a un cáncer, cuida de su madre, ya anciana, y trabaja como profesora en un instituto. Y a pesar de todo, cada mañana se levanta con ganas de enfocar la vida de modo positivo.

«Mi hijo es el orgullo y la alegría de mi vida —dice—. Los adolescentes del instituto pueden ser difíciles, pero me encanta mi trabajo, y si consigo ayudar aunque sólo sea a uno de ellos a alcanzar el éxito, me sentiré más que satisfecha. Cuidar de mi hijo y de mi madre me ha enseñado a ser más comprensiva con los chicos, y ser profesora me ha ayudado a tener más paciencia con mi hijo y con mi madre».

El mito de la «perfección»

Para ser feliz, primero tienes que descartar el mito de que has de ser perfecta para lograrlo. Barbie es una muñeca, no un ejemplo de nada; Debra Barone (la atractiva y atrevida madre de familia de *Todo el mundo quiere a Raymond*, que cría a su hijo —y a su marido— mientras tiene que bregar con unos suegros entrometidos) es una madre de ficción; la Mujer Maravilla también es un producto de la imaginación de quienes se dedican a la televisión; y la mujer de los anuncios que llega a casa con su beicon, lo fríe en una sartén y siempre sabe lo que quiere su marido no hace falta decir que no existe. En cuanto dejes de luchar por alcanzar la perfección ideal, podrás empezar a orientar todas tus energías hacia lo que de verdad te importa.

La felicidad es como la buena salud. Sin ella podrás seguir viviendo, pero no podrás dar lo mejor de ti misma ni en casa ni en el trabajo, y lo más probable es que tampoco puedan hacerlo quienes te rodean. Esforzarse por ser feliz es como esforzarse por mantener la buena forma física.

La gente feliz cultiva ciertas costumbres y prácticas que les ayuda a llevar una vida plena en casa y en el trabajo, a pesar de todos los problemas que se les puedan presentar.

Feliz de verdad

Si eres feliz, las inevitables tragedias de la vida no lograrán dejarte abatida durante mucho tiempo.

Sue es una madre trabajadora desde hace mucho tiempo. Ahora es una abuela trabajadora que sigue casada con el amor de su vida (con el que se contrajo matrimonio cuando tenía 18 años). Ha afrontado muchos problemas en la vida, pero sigue siendo fuerte y no deja de ver la botella medio llena.

Después de haber criado a sus dos hijos (que ahora tienen entre 20 y 30 años), Sue ha decidido criar a su nieta, de 3 años. Es la hija de su hijo, que se ha divorciado. Su hijo y ella han tenido que luchar mucho por la custodia total de la niña, y por fin lo han conseguido. También se encarga de cuidar a sus padres, que ya son mayores. Y está encantada de hacerlo, mientras trabaja a jornada completa en un colegio privado.

Uno de los hermanos de Sue murió de hepatitis muy joven, y su padre jamás llegó a recuperarse de la pérdida. Su madre siempre fue el corazón de la familia, como ahora lo es ella de la suya, formada por Mitch (un exitoso empresario), su hija Lauren y su hijo Rick, que trabaja para la oficina de correos.

A Sue le encantan las cosas buenas, como a sus hijos, a quienes siempre ha intentado educar en los valores morales y éticos.

(continúa)

Ha luchado contra la obesidad durante toda su vida. Con 45 años se sometió a una intervención quirúrgica para que le implantaran una banda gástrica y estuvo a punto de morir. Pero hoy es el perfecto ejemplo del triunfo contra la obesidad, a pesar de su batalla contra la diabetes.

Sue no se rinde y sigue buscando algún resquicio de esperanza. Le encanta ser la «abuela trabajadora» y criaría a su otra nieta, la hija de Bella, si pudiera. Además, también ayuda a su hija Lauren dándole trabajo en el colegio cuando lo necesita. Por muy ocupada que esté, Sue siempre encuentra un día a la semana para descansar y dedicarse a sus cosas.

Es una madre atenta y entregada. Y es feliz, que es lo que de verdad importa.

Tu concepto de la «perfección»

Como seres humanos, todos establecemos los parámetros de nuestra felicidad.

La felicidad es «autorrealización, sentirse satisfecho con los propios logros, alcanzar los objetivos económicos, emocionales y profesionales que uno se había fijado», dice Kathy, esposa, trabajadora y madre de dos hijos de Shanghai, China.

La felicidad es «esencial para todos nosotros. Es la razón por la que te despiertas cada día. Sería ridículo decir que no nos queda tiempo para ser felices», dice Julie, censora jurada de cuentas de Tucson (Arizona), y madre de dos adolescentes de 17 y 14 años.

La felicidad es «cuidar de ti misma para tener buena salud, una buena forma física y una mente despejada; buscar el bien para tu familia y para la sociedad —dice Nancy Laben, de 46 años, asesora jurídica del consejo de Accenture, Chicago, y madre de dos hijos de 16 y 14 años—. Yo me lo imagino como una serie de círculos concéntricos. En el pequeño del centro estoy yo. ¿Qué me hace feliz? Hacer feliz a mi hija y verla feliz al descubrir que algo está bien. El tiempo que dedicas a un voluntariado es un momento feliz. El tiempo que te tomas para reflexionar sobre el significado de la vida es un momento feliz. La felicidad es una lluvia formada de gotas de tiempo».

La felicidad es «el sentido de lo posible —dice Robin, de 44 años, madre de tres hijos (de 14, 12 y 10 años respectivamente) y directora ejecutiva de una organización sin ánimo de lucro—. Cuando sientes que las cosas son posibles, te sientes llena de vitalidad, y es una sensación que quieres transmitir».

A pesar de la distancia y de encontrarse en una situación económica y personal distinta, todas estas mujeres se han parado a pensar qué es lo que deben hacer para conseguir su objetivo: la felicidad. Y esto es lo que tienen en común: saben lo que quieren y cuáles son sus prioridades, y se han propuesto luchar por ellas.

Fundamentos de la felicidad

Hazte las siguientes preguntas y contesta con sinceridad:

- ¿He sentado las bases para lograr la felicidad?
- ¿La gente que conozco me hace feliz?

  - ¿Los miembros de mi familia o mi pareja me hacen feliz?
  - ¿Las personas que trabajan conmigo me hacen feliz?
  - ¿Mis amigos me hacen feliz?

- Si la respuesta a alguna de estas preguntas es «No», ¿les has dicho alguna vez lo que tienen que hacer (o dejar de hacer) para que tú te sientas feliz?

  - Si no, ¿por qué?
  - Si se lo has pedido, ¿por qué no lo han hecho?

- ¿Qué más necesito para ser feliz?

  - ¿Se trata de cosas, personas, tiempo, energía, dinero, o algo más?
  - ¿Cómo lo puedo conseguir si no lo tengo?
  - ¿Puedo hacerlo sola o necesito la ayuda de alguien?
  - La ayuda que necesito, ¿está relacionada con el tiempo, la energía o el dinero?

- ¿Qué pasos tengo que dar a fin de sentar las bases para mi felicidad?

Deseos, necesidades y ser mejores

Sin importar si se han propuesto alcanzar la felicidad o no, a las madres trabajadoras les gusta lo que hacen. De hecho, el 78% de las madres declararon que se sentían «satisfechas», según *What Moms Want*,[1] una encuesta del Working Mother Media (www.workingmother.com) publicada por la *Working Mother Magazine*. «El equilibrio es un desafío —afirma dicha revista—; sin embargo, las madres trabajadoras lo están consiguiendo. Esto no quiere decir que no tengan que enfrentarse a retos y fatigas, pero los resultados de nuestra encuesta demuestran que las madres NO se rinden».

Las aspiraciones también son importantes para las madres trabajadoras. En la encuesta, el 62% de las mujeres dicen ser «muy ambiciosas».

Pausa de *coaching* personal: tus prioridades

Dinero, tiempo y energía

Las personas felices organizan el tiempo en función de sus prioridades. El siguiente ejercicio te ayudará a entender si estás organizando tu tiempo conforme a tus valores.

- Haz la lista de las cosas (valores) que tienen un verdadero significado para ti. (Véase el cuadro 1.1A).
- Escríbelas por separado.
- Coge las cinco primeras.
- Vuelve a escribirlas por orden de importancia.

(continúa)

- Apunta cuánto te gastas en ellas, calculando un porcentaje a partir de lo que ganas.
- Anota las horas o minutos que les dedicas a la semana y rellena la tabla usando un porcentaje basado en una semana de trabajo.
- Calcula la energía positiva (+) o negativa (-) que has invertido en ellas. Por ejemplo, la sensación positiva o negativa que te producen cuando te dedicas a ellas.
- Usa la plantilla para interpretar tus respuestas y calcular hasta qué punto eres consciente de ellas.

Cuadro 1.1A. Lo que es importante para ti.

Valores (por orden de importancia antes de completar el ejercicio)	% de dinero que le asignas	Horas o minutos que le dedicas en una semana laborable (porcentaje)	Energía positiva (+) o negativa (-)	Vuelve a ordenar los valores después de completar el ejercicio

Pausa de *coaching* personal, páginas 41 a 43. Copyright © 2006-2008 h2c, LLC. Todos los derechos reservados.

- Cuando termines, sabrás si estás organizando el tiempo y empleando tu dinero y energía conforme a tus valores (véase el cuadro 1.1B). Si no están bien distribuidos, párate a pensar en los cambios que debes hacer y vuelve a organizar tus prioridades si lo consideras necesario.

Cuadro 1.1B. Ejemplo.

Lo que es importante para mí	Dinero	Tiempo	Energía
Criar a mis hijos con buena salud y un buen equilibrio mental	33%	15 h llevando a los niños	Negativa (-)
Realizar un trabajo útil e interesante	5%	60 h	Positiva (+)
Ahorrar por si pierdo el trabajo y para mi jubilación	33%	15 min de planificación	Negativa (-)
Ocio (ejercicio, cine)	20%	5 h de ejercicio	Positiva (+)
Amistades	5%	2 h	Positiva (+)
Obras sociales	1%	0 h	Negativa (-)
Otros	3%	5-10 h	Positiva (+)

Entrenamiento

Las madres somos las directoras ejecutivas de nuestros hogares y, al igual que los jefes son quienes marcan el ambiente y los objetivos de la empresa, el modo en que nosotras nos sentimos afecta a la manera en que se siente toda la familia y determina cuáles son sus objetivos. Las madres trabajadoras suelen ser muy ambiciosas, y no es de extrañar, puesto que la maternidad es un buen campo de entrenamiento que nos prepara para superar pruebas, tribulaciones y desafíos en el trabajo. La maternidad hace que las mujeres sean más eficaces en su trabajo. «Nos brinda la oportunidad de estar totalmente al mando y nos ayuda a darnos cuenta de qué somos capaces —sostiene Dee Dee Myers, madre de dos hijos, ex secretaria de prensa del presidente Bill Clinton (la primera mujer en ocupar dicho cargo), analista y comentarista política, editora conjunta de *Vanity Fair* y autora de *Why Women Should Rule the World* (www.deedeemyers.org)—. Como madres, tenemos una experiencia y una información privilegiada —añade—. Debemos hacer que las mujeres se den cuenta de que, aun trabajando, no pierden el mando. Al ser madres, también aprendemos a confiar más en nuestra intuición. La intuición es algo real y de gran valor. Hemos de dar crédito a lo que nos dice, y no adoptar una actitud defensiva ante ella».

PROGRAMA TU FELICIDAD

No siempre resulta fácil reconocer el poder y la fuerza que tenemos las mujeres. A menudo se nos educa para que permanezcamos en un segundo plano, para que nos esforcemos por satisfacer a los demás mucho antes que a nosotras mismas. La sociedad tampoco hace mucho para disuadirnos de este papel y no nos sirve de gran ayuda a la hora de hacer frente a nuestros deberes como madres trabajadoras. La sociedad suele fruncir el ceño ante las madres trabajadoras, y esto, aunque en grados distintos, ocurre en todo el mundo. Con unas pocas y famosas excepciones, el mundo del trabajo no nos lo pone nada fácil.

Heather es senadora y madre de tres hijos (de 14, 11 y 7 años respectivamente) y es una madre trabajadora y feliz. Pero no siempre lo fue. Durante seis años se dedicó completamente a su familia. Sin embargo, aunque había sido una decisión voluntaria y adoraba a sus hijos, se daba cuenta de que añoraba poder hacer algo más por la sociedad. Cuando el más pequeño empezó a ir al colegio, Heather decidió volver a trabajar para recuperar la sensación de satisfacción personal que tanto echaba en falta.

Las personas como Heather y Dee Dee Myers crean su propia felicidad. Como madres y mujeres de negocios, han aprendido cuáles son los comportamientos que les ayudan a lograr su felicidad. Como madre trabajadora, tú también puedes transformar tu vida. Eso fue lo que hizo Heather. A pesar de que deseaba con todas sus fuerzas ser un ama de casa feliz, sabía que necesitaba algo más para alcanzar la felicidad. «Se trata de darse cuenta de lo que necesitamos para ser felices y sacar el tiempo necesario para dedicarnos a ello —afirma—. Tienes que reconocer los pequeños detalles que te hacen feliz... para poder disfrutar de ellos». En el caso de Heather, los desencadenantes de la felicidad son volver a casa después del trabajo, sentir que los demás la necesitan, formar parte de algo que sea mucho mayor que ella y fijarse unos objetivos.

«Yo soy de las que ven la botella medio llena —dice la abogada Laben, que aprendió a reconocer y apreciar los pequeños momentos de felicidad para desarrollar una mentalidad positiva—. Es una habilidad vital que forma parte de la maternidad».

¿Cuáles son los desencadenantes de *tu* felicidad? ¿Qué es lo que te anima y te ayuda a desarrollar una mentalidad positiva? Hazte una imagen mental de todo lo bueno que hay en tu vida. Crea una imagen más feliz de tu vida (cuadro 1.2) y realiza el ejercicio «Evaluación del optimismo» (cuadro 1.3).

Pausa de *coaching* personal: optimismo

Imagina tu vida como una ventana y rellénala con las personas y los lugares que contribuyen a tu felicidad. A través de ella, observa el paisaje: tu vida feliz. Y haz los cambios que consideres necesarios. Puedes rellenar los huecos con las fotografías o los nombres de estas personas y lugares. Incluso puedes publicarla en tu página de Facebook, si quieres.

Después, realiza el ejercicio de «Evaluación del optimismo». Sé sincera. Ten en cuenta incluso los detalles que consideres más insignificantes.

Cuadro 1.2. Una visión más feliz de la vida.

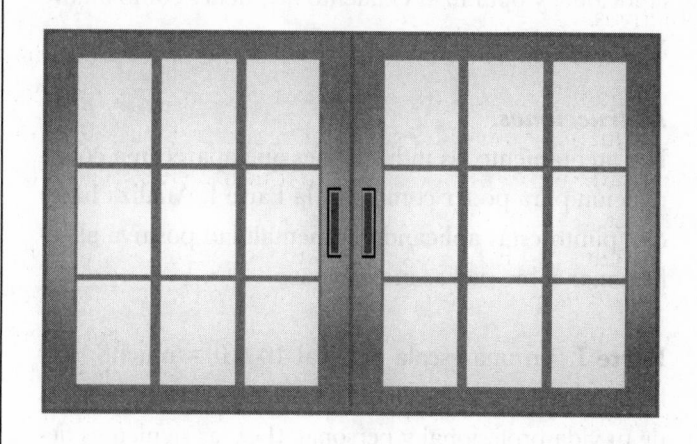

Cuadro 1.3. Evaluación del optimismo

Contexto:

Al ser madres y trabajadoras tenemos poco tiempo, y la consecuencia es que nos centramos en lo negativo, olvidando aspectos positivos de nuestras vidas. Me refiero, por ejemplo, a nuestros logros o los de las personas que nos rodean y que queremos, como nuestra pareja o nuestros hijos. ¿Pensamos más en lo que ha ido bien hasta ahora o en que las cosas en realidad no son como esperábamos? ¿Somos realistas con nuestro horario, la planificación de nuestras actividades, las tareas que se derivan del trabajo y lo que se espera de nosotras o de los demás? La lista que te proponemos te ayudará a tomar conciencia de los cambios que posiblemente tendrás que hacer para conseguir una mentalidad positiva

(continúa)

que te permita mejorar tu salud, intensificar tu bienestar emocional y optimizar el talento que tienes como madre y como profesional.

Instrucciones:
Lee atentamente las indicaciones que aparecen a continuación para poder completar la Parte I. Analiza hasta qué punto estás aplicando la mentalidad positiva al reflexionar sobre dichas indicaciones.

Parte I. En una escala del 1 al 10 (10 = mucho, 5 = bien, 1 = muy poco), calcula o valora las siguientes áreas de tu vida profesional y personal. (Lee las siguientes definiciones antes de completar la escala).

Establecer una relación	Crear una conexión personal o buscar algo en común con otra persona para sentirnos más cómodos al conversar con ella.
Saber escuchar	Centrar toda nuestra atención en lo que nos está diciendo la otra persona, y ser conscientes del impacto que tendrá sobre ambos.
Ser conscientes	Entender y articular tus propias perspectivas, reacciones y suposiciones para entender mejor bajo qué prisma ves el mundo.

Demostrar empatía	**Aceptar y valorar el punto de vista de la otra persona y demostrar un sincero interés por ella.**
Saber preguntar	**Hacer preguntas a la otra persona para orientarla en su proceso de toma de decisiones. Permitir que sea la otra persona la que resuelva el problema por sí misma.**
Permitir	**Animar a los demás a usar sus dotes y talentos de modo creativo para que se entusiasmen con sus acciones y progresos, y apreciar sus cambios y mejoras.**
Resolver conjuntamente los problemas	**Valorar las ideas de los demás y tenerlos en cuenta al analizar un asunto hasta llegar a una solución en común.**
Dar y recibir información sobre los resultados	**Hablar sobre las consecuencias que está teniendo un comportamiento para identificar nuevas conductas y acciones que puedan mejorar la situación.**

1. Establecer una relación

1	2	3	4	5	6	7	8	9	10

(continúa)

2. Saber escuchar

1	2	3	4	5	6	7	8	9	10

3. Ser conscientes

1	2	3	4	5	6	7	8	9	10

4. Demostrar empatía

1	2	3	4	5	6	7	8	9	10

5. Saber preguntar

1	2	3	4	5	6	7	8	9	10

6. Permitir

1	2	3	4	5	6	7	8	9	10

7. Resolver conjuntamente los problemas

1	2	3	4	5	6	7	8	9	10

8. Dar y recibir información sobre los resultados

1	2	3	4	5	6	7	8	9	10

Fíjate en cuántas veces has marcado un número determinado (1-10). Usa la siguiente escala de resultados: 8-10, excelente mentalidad positiva; 4-7, seguramente te esté yendo bien y eres bastante eficaz en lo que se refiere a mentalidad positiva; 1-3, tendrás que esforzarte algo más para desarrollarla. Si analizas algunas dificultades en la Parte II, podrás empezar a desarrollar ciertas habilidades.

Parte II. ¿Cuáles son los obstáculos que encuentras (respuestas 3-5) a la hora de desarrollar y aplicar una mentalidad positiva en tu vida diaria? (Ej. falta de tiempo, falta de modelos a seguir o de entrenamiento, mi empresa no valora estas habilidades, mi familia espera que yo me encargue de todo, etc.). Sigue con la Parte III.

1.

2.

3.

4.

5.

Parte III. Confecciona una lista de cinco a diez cualidades que describan lo positivo en tu vida personal y profesional (por ejemplo: mi talento, habilidad, energía, capacidad de relación, capacidad de resolver problemas, buena capacidad comunicativa, sé entender a mis hijos, la gente confía en mí, siempre mantengo mi palabra, aprendo con rapidez, estoy motivada, etc.). En esta sección tendrás la oportunidad de añadir más frases que te ayuden a desarrollar una mentalidad positiva. Guarda la lista en un lugar visible (por ejemplo, en el salvapantallas de tu ordenador o en la agenda de tu móvil —junto a personas con quienes reforzar tu relación

(continúa)

y en quienes concentrar tus energías—; incluso podrías guardarla con fotografías en el escritorio de tu ordenador, en el coche o en la taquilla del gimnasio).

1.   6.

2.   7.

3.   8.

4.   9.

5.   10.

Parte IV. ¿Qué resultados esperas obtener con este cambio de actitud?

• En lo personal:

  – Para mí:

  – Para mi familia:

• En lo profesional:

  – Para mí:

  – Para mi equipo/sociedad/empresa:

¿Para qué molestarse en buscar la felicidad?

Si eres feliz, lo verás todo de otra forma: tus relaciones personales serán más alegres, tus hijos estarán más animados y serás más eficaz en tu trabajo. Por el contrario, la falta de felicidad os pasará factura a ti y a quienes te rodean.

Sabiduría de una madre trabajadora

«Paradójicamente, una enfermedad puede ayudar a los pacientes a lograr la felicidad, puesto que abandonan por completo las pequeñas irritaciones y disgustos de cada día. Al cambiar la forma de ver el mundo, suelen quedarse con las cosas buenas y dejar de dar importancia a las más nimias, por lo que suelen ser más felices. La enfermedad les ayuda a apreciar la alegría. A menudo, la pérdida lleva a la felicidad. Cuando el dolor termina, la alegría se aprecia con más intensidad».

—Victoria, médico y madre de tres hijos.

En el trabajo

La felicidad comporta beneficios. Si la empresa tiene que afrontar menos gastos sanitarios, si los empleados se toman menos días libres por motivos de salud (incluida la salud mental) y, por tanto, hay menos sustituciones y cambio de personal, los gastos disminuirán y los beneficios se incrementarán. Por eso, cuando se trabaja en un ambiente positivo hay menos estrés. Y menos estrés significa que las diferentes partes del cerebro (la amígdala cerebral y el córtex frontal, de los que hablaremos en el capítulo siguiente) trabajan mejor, por lo que aumenta la capacidad de discurrir de la persona, ayudándola a tomar decisiones más razonadas. Puesto que el estrés provoca hipertensión y otros problemas de salud, reducir los niveles de estrés en una empresa conlleva un beneficio seguro, ya que los empleados necesitarán menos días libres por motivos de salud.[2]

La mejor forma que tiene la empresa de mantener en su plantilla a las personas con más talento, de incrementar su competitividad en el mercado y de aumentar sus ingresos es fomentar la felicidad de sus empleados. Así también conseguirá reducir el estrés y los gastos médicos que éste comporta. A continuación, os ofrecemos algunos datos sobre el coste de la *in*felicidad en el trabajo:

- Los empresarios de Estados Unidos pierden más de 300.000 millones de dólares anuales a causa del creciente absentismo, las suplencias, la disminución de la productividad y los gastos médicos y legales que se derivan de ello.[3]
- Tal y como demuestra un estudio que en 2006 llevó a cabo el programa de Trabajo, Comunidad y Familia de la Universidad de Brandeis y Catalyst, una organización sin ánimo de lucro, líder en el campo de la investigación y la asesoría: unos dos millones y medio de padres trabajadores pierden productividad porque les preocupa lo que harán sus hijos después del colegio. «Lo cual se manifiesta en un deterioro de sus actitudes, rendimiento y bienestar en el trabajo», afirma Karen Gareis, psicóloga del programa.[4]
- Como estimó en 2007 el Instituto Americano de

Medicina Ambiental y Ocupacional: el agotamiento por causas laborales —más común en mujeres que en hombres— afecta a un 40% de los trabajadores de Estados Unidos, lo que supone un gasto para los empresarios de unos 136.000 millones de dólares al año en términos de baja productividad.[5]

Gasto de la infelicidad en el trabajo = coste de los gastos sanitarios + número de días de baja médica + coste de las sustituciones

---

Empleados felices = empleados productivos

«Cuando los empleados están contentos con lo que hacen, se sienten más implicados en su trabajo y, por tanto, desarrollan mejor su tarea», sostiene iOpener, una empresa de asesoría que opera en el Reino Unido, Países Bajos y Sudáfrica. Jess Pryce Jones es una de las dos fundadoras que crearon iOpener con el objetivo de ayudar a las empresas a mejorar el ambiente de felicidad entre sus empleados para obtener mayores beneficios. «Existe una relación directa entre la felicidad y la productividad —se lee en el informe de iOpener (www.iopener.co.uk/index.php)—. El éxito es una característica inherente a los negocios, mientras que la felicidad se consideraba una consecuencia deseada, aunque innecesaria. Sin embargo, como mucha gente de éxito puede atestiguar, el éxito y la felicidad son dos cosas distintas. El éxito por sí solo no asegura la lealtad, la motivación y un compromiso laboral estable. La felicidad, sí».[6]

(continúa)

El deseo de cooperación de los empleados —es decir, la conexión emocional de los empleados con su trabajo y su grado de compromiso con él— es un excelente indicador del éxito. Según un estudio de Hewitt Associates, el deseo de cooperación de los empleados de las empresas de más éxito es de un 60%, como mínimo.[7] Los empleados felices son los más cooperadores. Así pues, para que una empresa alcance un alto rendimiento, necesita que sus trabajadores sean felices y estén comprometidos con su trabajo.

Los tutores que imparten cursos de *coaching* al personal directivo trabajan en todo tipo de empresas del mundo entero, desde las más grandes hasta las más pequeñas, así como en organizaciones públicas y privadas, e incluso en el ejército, para fomentar que el enfoque cotidiano del trabajo sea positivo y feliz, con lo que se incrementa la motivación de los empleados y, por tanto, su rendimiento en el trabajo.

En casa

La felicidad de las madres también marca la diferencia en casa. Preguntádselo al hijo o a la pareja de una madre trabajadora y ellos mismos os lo dirán. «Siempre sabes cuándo mamá ha tenido un mal día en el trabajo. En esos momentos, sé que tengo que darle tiempo antes de pedirle algo o preguntarle si puedo ir a algún sitio», dice Matt, adolescente, hijo de una madre trabajadora.

Britt van den Berg, directora del Consejo Global para la Diversidad y la Inclusión, de Philips International, tiene una hija de 13 años y trabaja a jornada completa. «El trabajo me procura la energía que después transmito a mi hija», dice. Britt vive con su pareja y su hija en Holanda, un país en el que las madres suelen trabajar con contratos de media jornada. Britt recuerda que, cuando tuvo a la niña, la responsabilidad de criar a una hija la abatía y abrumaba, por mucho que su pareja estuviera a su lado para ayudarla. En cambio, la posibilidad de volver al trabajo la animaba. «El trabajo me ayuda a ser una madre mejor. Y también soy mejor en mi trabajo porque tengo que mantener a mi hija», dice.

> *Yo soy el barómetro que indica el humor de la familia...*
> *Cuando me pongo quejica, todos se vuelven gruñones.*
> —Jill, enfermera clínica, madre de tres hijos

El trabajo también ejerce una influencia positiva en Tatiana, y la hace feliz. Tiene tres hijos (una hija de 12 años y unos gemelos de 10). Vive en Gran Bretaña, felizmente casada con un abogado. «Manejar a los hijos es más difícil que encargarse de un grupo de trabajo —dice—. La maternidad me ha ayudado a ser capaz de hacer muchas cosas a la vez y me ha dado una nueva perspectiva de las cosas. Ya no me agobio por insignificancias».

El trabajo también la ha ayudado a ser una madre mejor. Por ejemplo, al desarrollar sus dotes de negociación en el trabajo ha aprendido a tratar con sus hijos, a motivarlos, a desarrollar su autoestima y a reconocer sus logros. «Para mi familia es muy importante mi felicidad, ya que me proporciona la energía necesaria para pasar más tiempo con ellos y para que todos se sientan mejor». Tatiana y Britt no son las únicas que creen que el trabajo las ha ayudado a mejorar en casa, y viceversa. Es una sensación común entre todas las madres trabajadoras, ya sean altos mandos directivos o se dediquen a reponer productos en los grandes almacenes.

La maternidad también ha influido en el trabajo de Dee Dee Myers. «[...] ambos aspectos de mi vida [el trabajo y la maternidad] han salido ganando —dice—. Antes no me daba cuenta de lo importante que es la felicidad para todos, pero ahora sé que la gente necesita sentirse escuchada. Y también he aprendido a poner ciertos límites [...]. Y mi visión del mundo ha cambiado. Siempre he creído que es muy importante que las mujeres formen parte de todos los aspectos de la vida pública, pero ahora estoy aún más convencida [...]. Ahora sé lo importante que es tener un trabajo que resulte provechoso».

Tu felicidad, ¿un lujo?

«La felicidad es necesaria —dice Diana, profesora de Derecho de la Universidad de Arizona y madre de un adolescente—. Hay que cambiar lo que haga falta para ser feliz. Sólo tenemos una vida y hay que disfrutar de ella».

Para Diana, la felicidad es «tener consciencia de una misma: saber cuáles son nuestras necesidades; cuidar de nosotras mismas para ser capaces de cubrir dichas necesidades; amarnos a nosotras mismas, aceptándonos tal y como somos, con nuestros límites e imperfecciones; y vivir de acuerdo con nuestros valores».

«La felicidad es una parte de la vida que has de construirte tú misma —añade Debra, terapeuta y comerciante de materias primas que comparte la custodia de sus dos hijos con su ex marido—. Mi felicidad es primordial para mis hijos. Si me hago la víctima, no crecerán sanos. Yo establezco los límites y les demuestro que la felicidad no es algo que hay que esperar. Tenemos que ser felices ahora, día a día... Si yo me siento miserable, mis hijos también se sentirán infelices».

No todas las madres trabajadoras han aprendido a ser tan conscientes de sí mismas, a aceptarse y a vivir conforme a sus propios valores. A veces es más fácil ver el lado negativo de las cosas, sobre todo cuando nos sentimos abrumadas por la casa y el trabajo. Pero la verdadera felicidad no se limita a apreciar el lado positivo de la vida, sino que también debemos ser conscientes de nuestras necesidades y saber satisfacerlas. No podemos limitarnos a atender las necesidades de nuestros hijos y las de nuestras familias.

Mosley, presidenta de Women in Cable Telecommunications, fue la primera mujer afroamericana que consiguió la medalla de oro olímpico en los 100 metros vallas, en las Olimpiadas de 1984. Ese mismo día, Mary Decker salía como favorita en la prueba de los 3.000 metros, pero tropezó con otra corredora y se cayó. Pese a la victoria de Mosley, la prensa apenas apreció su éxito porque todo su interés se centró en la derrota de Decker. Así es como Mosley nos cuenta lo ocurrido:

«Recuerdo que aquel día la prensa se centró en la derrota de Mary Decker, en vez de interesarse por la primera mujer afroamericana que acababa de ganar el oro olímpico en los 100 metros vallas. Tras conseguir el oro, me acompañaron a la carpa de Los Ángeles, donde estaba la prensa, para empezar las entrevistas. Estaba llena de gente, parecía la carpa de una boda, repleta de cámaras y equipos de filmación de todo el mundo. Cuando llegué, los periodistas me miraron y después siguieron mirando por detrás de mí para ver si llegaba alguien más... Estaban esperando a Mary para cubrir la noticia del día: Mary Decker había perdido la medalla de oro.

»Podría haberme ofendido el comportamiento de la prensa, pero no fue así. Siempre me he sentido agradecida por haber tenido mi momento de gloria, y si hubiera puesto todas mis esperanzas en aquel día —cuando gané en las Olimpiadas de 1984—, estoy segura de que me habría afectado muchísimo. Seguí adelante con mi vida.

»Recuerdo el orgullo con que me miraban mis padres mientras estaba en el podio y la alegría con que aquella noche me quedé dormida con mi medalla de oro... Me acosté sabiendo que había conseguido mi meta en tan sólo 12,84 segundos. La prensa me decepcionó, pero he tenido muchísimas alegrías en mi vida desde entonces. Si me hubiera dejado vencer por el resentimiento, ahora sería una mujer triste y desdichada, así que elegí ser feliz y sentirme orgullosa por la victoria y por poder representar a mi ciudad, Dale City (Virginia)».

Éste es el poder de la mentalidad positiva, es decir, del optimismo que nos ayuda a quedarnos con lo positivo de las cosas y descartar todo lo negativo. Como ya sabía hace veinticinco años, Mosley está convencida de que el esfuerzo por alcanzar y mantener la felicidad merece la pena, y de que la verdadera felicidad vale mucho más que el resentimiento.

Alcanza la felicidad

Al igual que Mosley y muchas otras mujeres, tú también puedes dirigir y controlar tus pensamientos y sentimientos para enfocar la vida en función de tu propia felicidad, por muchos obstáculos y barreras que encuentres en el camino. A lo largo de los próximos capítulos hablaremos de algunas de las dificultades que se pueden presentar; pero, con la ayuda de los instrumentos, técnicas y sistemas de apoyo adecuados, puedes conseguirlo. Si no eres una persona feliz por naturaleza, nosotras podemos ayudarte para que aprendas a modificar tu comportamiento. Es como una gestión del cambio hormonal. Es la «Seis Sigma» de tu vida. Aprenderás a identificar y mejorar las cualidades positivas que son la base de una vida feliz y, al hacerlo, disminuirá la fuerza de las emociones negativas.

«La felicidad es un trabajo interior», dice Lisa Kamen, madre, fundadora del proyecto What Is Your Happiness y ganadora de un premio como directora cinematográfica. En su documental *The H-Factor: Where Is Your Heart* muestra su perspectiva de felicidad global.[8]

Te llevará algún tiempo encontrar la felicidad, pero piensa en la mentalidad positiva cada vez que te sientas apesadumbrada. Tómate tiempo para hablar con tus hijos, ignora la negatividad que te rodea, apaga el televisor, respira profundamente y vuelve a empezar tu búsqueda de la felicidad. Puedes hacerlo.

Haz que tus sueños se hagan realidad

Todas tenemos nuestros sueños. Suelen empezar cuando somos pequeñas, con fantasías de aventuras, fama o riqueza. Pero nunca es tarde para soñar ni para luchar para que nuestros sueños se hagan realidad. Aunque un sueño no sea más que un sueño, perseguirlo nos puede proporcionar una gran satisfacción. Además, mientras lo perseguimos suelen presentarse otras posibilidades en las que no habíamos pensado antes.

Sin embargo, a veces nos olvidamos de que los sueños tienen que estar basados en la realidad. Para poder establecer una buena relación con tus hijos y con otros adultos necesitas tiempo. También precisas tiempo para ti misma.

El sueño de muchas mujeres es lograr ciertos objetivos profesionales siendo esposas y madres. ¿Y por qué no? En el mundo cibernético de hoy, se puede trabajar desde cualquier sitio. Si quieres, hasta puedes vivir en la cumbre de una montaña de Idaho y comunicarte con Nueva York todas las mañanas. Pero es importante que seas realista y que dejes tiempo para todo (tu pareja, tus hijos, tus amigos) y para ti, puesto que de lo contrario podrías alcanzar tu meta —la que sea— y descubrir que no era como esperabas.

Déjate de diamantes; la mejor amiga de una mujer es la felicidad.
—Cathy Greenberg

Persigue tu sueño

Al perseguir tus sueños, ten en cuenta todos los elementos que conforman una vida feliz: el trabajo, la familia, la vida, los amigos, el ocio, el ejercicio y la libertad de cambiar y madurar.

Hazte las siguientes preguntas, escucha a tu tutor interior, sé positiva y párate a pensar en cómo podrías hacer realidad tus sueños.

- ¿Cuál es el sueño más grande que tienes en este momento, que sea factible de alcanzar?
- ¿Cuánto tiempo crees que tardarás en hacerlo realidad?
- ¿A quién necesitarías para lograrlo (familia, amigos, compañeros de trabajo, otras personas)?
- ¿Qué habilidades, capacidades, experiencias o competencias necesitarías? Y si no las tienes, ¿cómo podrías desarrollarlas?
- ¿Para quién sería más importante que se cumpliera este sueño (para ti, para tu familia, para tus amigos, para tus compañeros de trabajo...)?
- ¿Qué más necesitas para conseguirlo (conocimientos, relaciones sociales, capacidad económica, tiempo...)? ¿Cómo podrías obtener estos recursos?
- ¿Quién tendría que formar parte de tu éxito (sólo tú, tu familia, tus amigos, tus compañeros de trabajo, otras personas)?
- ¿Qué dificultades crees que podrías encontrar? ¿Cómo podrías superarlas?

(continúa)

- ¿Qué estás dispuesta a sacrificar (tiempo, dinero, seguridad...)?
- ¿Cómo sabrías que has logrado tus objetivos? ¿Cuáles son las etapas fundamentales del proceso?

Son muchas preguntas, pero esperamos que tus respuestas te ayuden a dirigir tus esfuerzos hacia el sueño adecuado y a planificar bien los plazos y las etapas por las que tendrás que pasar. Piensa detenidamente en tus respuestas para ser sincera contigo misma, con tus valores y motivaciones, de modo que no te salgas del camino que te has fijado hoy o te fijarás en el futuro.

Para alcanzar la verdadera felicidad tenemos que ser sinceras con nosotras mismas. Decidir los elementos clave de tu plan es una parte esencial del camino hacia una felicidad sin remordimientos.

> *Decidir lo que de verdad es importante para ti es de vital importancia, así que tómate todo el tiempo que necesites para escuchar a tu voz interior... o te perderás el mensaje.*
> —Sherry Brennan, madre y vicepresidenta
> de la sección de estrategias de venta
> y desarrollo de la cadena Fox

Balance final: ejercicios

ESCRIBE TU HISTORIA FELIZ

Tómate unos minutos para escribir una historia feliz. La protagonista eres tú. Puede ser sobre cualquier momento de tu vida. Úsala para acordarte de cuando estabas en tu mejor momento y disfrutabas de una felicidad que te gustaría sentir más a menudo.

TOMA DE DECISIONES

Hazte las siguientes preguntas:

- ¿En qué necesito conocerme mejor como madre y como profesional para ser capaz de tomar las mejores decisiones para mí?
- Estas decisiones, ¿afectarían a mi felicidad? ¿Cómo?
- Las decisiones que tome, ¿me afectarán a corto o a largo plazo? ¿Cómo?
- ¿Soy capaz de volver a encauzar mi elección si no me va bien?
- ¿Quién puede ayudarme con esta decisión?
- ¿Qué puedo hacer para que mi decisión acarree beneficios para mi familia y en mi trabajo?
- ¿A qué otras decisiones afectará?

(continúa)

Conocerte a ti misma es un punto esencial para tu felicidad. Así pues, es muy importante que te tomes el tiempo necesario para entenderte a ti misma y saber cuáles son tus valores y prioridades. Tomar las decisiones adecuadas es fundamental para establecer un plan a largo plazo y sentar las bases de tu felicidad.

Capítulo 2

La ciencia de la felicidad

¡Qué gran hallazgo para compartir con el resto del mundo!
Podemos hacerlo todo igual de bien o mejor,
sin tener que convertirnos en hombres.
—Genevieve Bos, cofundadora de la revista *PINK*

La felicidad es distinta para cada persona. Lo que puede ser gratificante para ti, o lo que te hace feliz, puede provocarle una reacción distinta a tu vecino, a tu sobrina, a tu hermano o al frutero de la esquina. Pero esto no quiere decir que la felicidad sea arbitraria. No lo es, y se puede medir científicamente. Los desencadenantes de la felicidad pueden variar mucho entre hombres y mujeres. Una investigación muy famosa y reconocida demuestra que algunas personas son más propensas genéticamente a la felicidad que otras. Que nosotras sepamos, no existe un gen de la felicidad; pero una cosa es segura: como individuos, todos tenemos gran influencia sobre nuestra propia felicidad.

Dominio personal: intensifica la consciencia de ti mismo,
de tus comportamientos, motivaciones y competencias,
y refuerza tu inteligencia emocional
para controlar y encauzar tus estados emotivos. [1]
—Goldsmith, Greenberg, Robertson y Hu-Chan,
Global Leadership: The Next Generation

La psicología positiva y la ciencia de la felicidad se colaron en las salas directivas en cuanto las empresas comprobaron que los empleados felices son más creativos y productivos que los demás. Los tutores de *coaching* ejecutivo y personal trabajan con clientes de todo el mundo para enseñarles a reconocer y entender sus virtudes y debilidades a fin de prosperar en su propio ambiente. Tú también tienes la oportunidad de aplicar los descubrimientos científicos en tu camino hacia la felicidad. Puedes aprender a desarrollar una mayor consciencia de ti misma (entender tus reacciones, motivaciones y capacidades) y a aprovechar tu inteligencia emocional. Con la información, la ayuda y los ejercicios que te propondremos a lo largo del libro, aprenderás; así que, ánimo, sigue leyendo.

Pero antes vamos a dar un paso atrás para entender qué es exactamente la ciencia de la felicidad, y por qué y cómo reaccionamos ante determinadas cosas, ya estén relacionadas directamente con nosotras, con nuestra familia, con nuestros compañeros de trabajo o incluso con desconocidos. Te demostraremos, asimismo, cómo se relacionan estos impulsos y conexiones con tu alegría y satisfacción como madre trabajadora. Saber qué es lo que está pasando en realidad y por qué es el primer paso para aprender a tomar las decisiones que te llevarán hacia la felicidad.

Es decisión tuya

En 1996, el profesor de Psicología de la Universidad de Minnesota, David Lykken, y el profesor titular Auke Tellegen concluyeron que la genética desempeña un papel muy importante en la felicidad de las personas.

Para llegar a este gran descubrimiento, se basaron en años de estudio de gemelos idénticos que habían crecido separados. Su investigación demostró que todos nacemos con una «predisposición natural» a la felicidad. Es como la tendencia que tiene cada persona a alcanzar un peso determinado (cuando decimos que alguien es delgado, fuerte o musculoso «por naturaleza»). No obstante, una tendencia o predisposición a engordar no significa que tengamos que ser gordos necesariamente, así como una baja predisposición a la felicidad no significa que no podamos ser felices. En cualquier caso, la predisposición genética representa un 50% de probabilidades de llegar a ser como indican los genes, por lo que en ausencia de otros factores (internos o externos), lo más seguro es que uno acabe situándose en esa parte del porcentaje.[2]

Varios años después de que Lykken diera a conocer los resultados de su estudio, presentó *The Nature and Nurture of Joy and Contentment*, un libro que hablaba de cómo todos —sin importar nuestra predisposición natural— podemos incrementar nuestro nivel de felicidad. Que tus genes no estén programados para la felicidad no quiere decir que tengas que ser una persona infeliz. «Quería que la gente supiera que los genes pueden influir en la felicidad, pero no determinarla por completo —dice Lykken—. La felicidad es como un lago sobre el que todos viajamos en nuestra propia barca. Mientras que el nivel del agua está determinado por los genes, éste puede aumentar o disminuir según lo que le vaya pasando a cada persona en su vida, y siempre tiende a volver a su nivel de origen en poco tiempo, por mucho que esa persona haya ganado la lotería o un huracán le haya destrozado la casa».[3]

La doctora Sonja Lyubomirsky, profesora de Psicología en la Universidad de Riverside (California), y autora de *La ciencia de la felicidad: Un método probado para conseguir el bienestar,* nos ofrece otro modelo muy parecido de felicidad que desarrolló con Ken Sheldon, de la Universidad de Missouri, y David Schkade, de la Universidad de San Diego (California). Su modelo también estima que los genes determinan el 50% de la felicidad, pero añade que un 10% depende de las diferentes circunstancias de la vida (capacidad económica, salud, forma física, etc.). Como consecuencia, lo que podríamos moldear y cambiar sería el 40% restante.[4]

La apreciación cuenta

Las investigaciones demuestran que saber apreciar es el núcleo de la felicidad.

- La actitud positiva de los pacientes con enfermedades cardíacas aumenta las probabilidades de supervivencia en un 20% después de once años.
- La comunicación positiva entre las parejas reduce el estrés en un 15%; mientras que la comunicación negativa lo incrementa en un 48%.

- Tener una actitud positiva reduce los síntomas físicos y la medicación, mejora el equilibrio hormonal y aumenta la producción de anticuerpos.
- Una actitud positiva sincroniza la mente y el corazón, mejora la discriminación auditiva, la visión espacial y la memoria a corto y a largo plazo.
- Los pensamientos e incluso las emociones más sutiles influyen en la actividad y el equilibrio del sistema nervioso autónomo, que interactúa con los sistemas digestivo, cardiovascular, inmunológico y hormonal.
- Las reacciones negativas crean desórdenes y desequilibrios en el sistema nervioso autónomo.
- Los sentimientos positivos, como la apreciación, mejoran el equilibrio del sistema nervioso autónomo —por tanto, el equilibrio de los sistemas inmunológico y hormonal— y vigorizan las funciones cerebrales.

Fuente: Empresas felices = Empresas rentables, Dan Baker, Cathy Greenberg y Collins Hemingway, Institute of HeartMath (www.heartmath.org).

En su estudio, cuando entrevistaban a la gente un año después de haber experimentado un gran cambio en su vida —como haber ganado la lotería o haber sufrido lesiones importantes a causa de un accidente de tráfico—, las personas solían decir que sus vidas no eran ni más ni menos felices que antes. «Las grandes subidas o bajadas del nivel de felicidad debidas a las circunstancias de la vida suelen vivirse como cambios a corto plazo. Las personas se adaptan enseguida a las circunstancias —afirma el estudio—. Pero entonces, y suponiendo que haya algo capaz de hacerlo, ¿qué podría producir un cambio duradero del nivel de felicidad? La respuesta radica en el componente final de nuestro modelo: las actividades que llevamos a cabo voluntariamente».

Así pues, según Lykken, si queremos imponernos sobre nuestros genes para llevar una vida de felicidad plena, lo que tenemos que hacer es encontrar algo a lo que dedicar nuestro tiempo que nos resulte útil y nos haga disfrutar. «Yo creo que la gente debería sentarse un momento a reflexionar con sinceridad y realizar un inventario de todas las cosas que hacen y de cómo interfieren en su felicidad —dice Lykken—. Y después proponerse dejar de crear depresiones en el lago y empezar a levantar grandes olas».

La ecuación de la felicidad

Dejando de lado la genética, todos podemos influir en nuestro nivel de felicidad si tomamos las decisiones adecuadas. El psicólogo Jonathan Haidt incluso llegó a desarrollar una ecuación que podemos aplicar para ser más felices. Haidt es profesor titular de Psicología de la Universidad de Virginia y autor de *La hipótesis de la felicidad* (Gedisa, 2006). Su fórmula reconoce la capacidad que todos tenemos de influir en el 50% de indeterminación de nuestra ecuación personal de felicidad.

ECUACIÓN DE HAIDT

Nivel de Felicidad = Predisposición Natural + Circunstancias + Actividades Voluntarias

O sea:

$$F = P + C + V$$

Términos de la ecuación:

F = nivel de felicidad global.

P = predisposición natural a la felicidad, determinada genéticamente.

C = circunstancias actuales, como pueden ser la estabilidad económica, el ambiente en que se viva o la salud.

V = actividades voluntarias, es decir, dónde y cómo se elige pasar el tiempo.

Si quieres ser más feliz, la ecuación de Haidt sugiere que te centres en las actividades voluntarias (V) que puedes controlar y en cambiar tus circunstancias actuales (C) para incrementar tu felicidad (F).

Otro modo de usar la fórmula podría ser:

Incrementar V (actividades voluntarias) + mejorar C (circunstancias) para optimizar y superar P (predisposición natural) = aumento de F (felicidad).

Si las fórmulas matemáticas no son tu fuerte, piensa en tu vida y en cómo te afectan las circunstancias. Repasa varios momentos de tu vida; lo más seguro es que te sintieras más feliz cuando te sentías segura, tenías dinero suficiente y estabas rodeada de personas de confianza, y en cuanto perdías uno de estos elementos, tu nivel de felicidad disminuía. Con quién pasas el tiempo, qué haces y cómo lo haces afecta directamente a tu nivel de felicidad. Cuando eres feliz, siempre das lo mejor de ti misma, en casa y en el trabajo.

¿Te acuerdas de la medallista olímpica Benita Fitzgerald Mosley del capítulo 1? Ella ganó la carrera, pero la prensa no pareció darle ninguna importancia porque estaba ocupada con la derrota de su compañera (C, circunstancia). Pero en vez de protestar, decidió celebrar la victoria (V, actividad o actitud voluntaria)... y salió de allí feliz (F).

Consejo para la felicidad: en la vida pasa de todo, pero tus verdaderas experiencias serán las cosas a las que les hayas dado más importancia. Céntrate en lo positivo.

Piensa en Sue, la abuela trabajadora del capítulo anterior. Lo que a ella le hace feliz puede distar mucho de lo que haga felices a otras madres trabajadoras, pero a ella le produce una gran alegría y la hace feliz. La P (predisposición natural) de Sue, combinada con sus V (actividades voluntarias, entre las que se encuentra hacerse cargo de toda su familia y la de su hijo) más su C (circunstancia: los problemas a los que se enfrenta día tras día) es igual a F (felicidad).

Diferencias entre hombres y mujeres

La ciencia nos demuestra que los aspectos que determinan la felicidad también son distintos según se trate de hombres o mujeres. Reaccionamos de modo distinto ante las mismas cosas. Seguramente todos nos habremos quedado perplejos alguna vez por el modo en que ha reaccionado un compañero de trabajo o un novio (o un marido), y viceversa. Nos habremos preguntado cómo o por qué esa persona actuó de un modo determinado o llegó a tal o cual conclusión. La clave de todo es que el cerebro no es unisex. El cerebro de hombres y mujeres es distinto.

Según la doctora Louann Brizendine, neuropsiquiatra, directora de la clínica de la Universidad de San Francisco (California), que se dedica al estudio del humor y del sistema hormonal de mujeres y chicas adolescentes y es autora de *El cerebro femenino* (RBA, 2007), algunas de las diferencias son:

- Las neuronas del cerebro femenino establecen más conexiones en las zonas encargadas de la comunicación y las emociones.
- Las neuronas del cerebro masculino se concentran más en las áreas que se ocupan del sexo y la agresión.
- Un 11% más de las neuronas de las mujeres se dedican al lenguaje y la audición.
- El córtex prefrontal, la porción del cerebro encargada del autocontrol, es mayor y madura antes en las mujeres. Ésta es una de las razones por las que las mujeres tienden a ser mucho más pacientes que los hombres.

- La parte del cerebro en que se originan los miedos y la agresión (la amígdala cerebral) es menor en las mujeres, por lo que tienden a exponerse a menos riesgos físicos.
- El espacio asignado a la libido o deseo sexual es menor en el cerebro femenino que en el cerebro masculino.
- El hipocampo, la parte del cerebro responsable de la memoria emocional, es mayor y más activa en las mujeres; por este motivo recuerdan más detalladamente todos los acontecimientos emocionales.

DIFERENCIAS EMOCIONALES

Las respuestas emocionales también varían entre hombres y mujeres. Los hombres dedican más tiempo a la consecución del poder, el estatus y las cosas; mientras que las mujeres suelen centrarse más en las relaciones, la cooperación y la comunicación.

Algunas diferencias son:

- Las mujeres parecen debatirse más a menudo que los hombres entre la felicidad y la tristeza.
- La depresión es entre dos y cuatro veces más frecuente en las mujeres que en los hombres.
- Las mujeres experimentan más emociones que los hombres (excepto la cólera).
- La emoción positiva es más frecuente e intensa en las mujeres.
- El cerebro de las mujeres dedica más espacio a la emoción y la memoria.

Todo esto indica que las mujeres tienen un potencial tremendo para desarrollar un agudo sentido de autoconciencia y superar todos los aspectos negativos de sus vidas (adversidades o emociones, internas o externas) a fin de crear y abrazar la felicidad. Por muy difíciles que sean las circunstancias personales y por muy lejos que se haya podido llegar a enterrar la autoestima, la memoria femenina guarda bien almacenados todos los mensajes de felicidad, satisfacción y alegría que le hayan podido llegar durante toda la vida. Lo único que tenemos que hacer es aprender las técnicas que nos ayudarán a desenterrar esos recuerdos en beneficio de nuestra felicidad.

REACCIONES DISTINTAS ANTE EL ESTRÉS

La ciencia denomina «reflejo de lucha o huida» a la respuesta que todos (hombres y mujeres) hemos tenido durante generaciones enteras en caso de estrés agudo. Sin embargo, una investigación que se ha llevado a cabo en la Universidad de Los Ángeles (California) revela que la respuesta femenina suele tender más hacia la búsqueda de la armonía y la conciliación que la de los hombres. En situaciones de estrés, las mujeres liberamos una hormona llamada oxitocina que estimula nuestra conducta maternal y nos anima a relacionarnos con otras mujeres. De este modo, cuanto más tiempo pasemos con otras mujeres, más oxitocina se liberará y, por consiguiente, más tranquilas nos sentiremos. Según parece, los estrógenos incitan la búsqueda de la armonía y la conciliación.[5]

Esto explica por qué nos sentimos mejor después de hablar con nuestra madre o con una amiga en una situación de estrés. Desde un punto de vista científico, los investigadores dicen que buscar protección en otras mujeres forma parte de nuestra naturaleza.

> *La felicidad no es un estado al que has de llegar,*
> *sino un modo de viajar.*
>
> —Samuel Johnson, filósofo inglés del siglo XVIII

La doctora Brizendine afirma que la forma en que las mujeres crían a sus hijos «puede hacer a los bebés más sanos, espabilados y capaces de enfrentarse a situaciones de estrés, cualidades que los acompañarán durante toda la vida y que más tarde transmitirán a sus propios hijos».

FUNCIÓN CEREBRAL COMPLETA

Por muy desapasionada que una pueda considerarse, las emociones siempre juegan un papel importante en el proceso de toma de decisiones. Aunque no nos demos cuenta, el proceso del «bien pensar» implica el uso de las emociones de nuestra vida. Dicho de otro modo: los seres humanos no pensamos con una parte del cerebro, sino con todo. Por tanto, si eres una madre trabajadora que ignora o intenta suprimir las emociones a la hora de tomar decisiones, te estás privando de una buena parte de la información que necesitas para ello, así como de una parte de tus energías. A este enfoque que tiene en cuenta la intuición es a lo que se refería Dee Dee Myers (además de otras muchas mujeres de éxito) en el capítulo anterior.

Así, por ejemplo, si por motivos familiares necesitas pedirle a tu jefe que te cambie un turno o que te permita trabajar desde casa, pero te dejas llevar solamente por la emoción, es muy probable que vayas a su despacho y te limites a pedirle lo que necesitas. Y si te dice que no, lo más normal es que te entren ganas de llorar y que no dejes de preguntarte cómo te las vas a arreglar para sacar adelante lo que te ha encargado; pero si pones en juego toda tu capacidad cerebral, encontrarás la forma de explicarle que lo que le pides no afectará o incluso será beneficioso para la empresa, es decir, le plantearás una situación en la que ambos saldréis ganando. De este modo, si la respuesta es no, contarás con los argumentos necesarios para discutir la situación con tu jefe, o con el jefe de tu jefe, y tendrás más posibilidades de conseguir lo que quieres.

Pausa de _coaching_ personal:
función cerebral completa

Piensa en algo que te haga sonreír (tal vez el momento en que tu hijo o tu hija te traen la primera margarita de la primavera como si fuera un regalo muy especial); y después piensa en algo que te haga fruncir el ceño por temor a algo (por ejemplo, el sermón de tu jefe por llegar tarde al trabajo). Intenta pensar en ambas cosas a un tiempo. ¿Puedes hacerlo? ¿Eres capaz de crearte una imagen mental equilibrada de la alegría y el miedo al mismo tiempo?

No te preocupes, la pregunta tiene truco: es biológicamente imposible. Los seres humanos no podemos sentir miedo y aprecio al mismo tiempo; no podemos sentir esperanza o gratitud al tiempo que sentimos pena o rabia o nos sentimos culpables por algo. La ciencia demuestra

(continúa)

---

que no podemos tener emociones positivas y negativas a
la vez. Éste es el concepto básico de la función cerebral
completa.

EL PROCESO DE TOMA DE DECISIONES

A veces tampoco usamos las partes adecuadas del cerebro en el proceso de toma de decisiones. Para tomar una
buena decisión, necesitamos poner a trabajar la amígdala cerebral y el córtex frontal. La amígdala es el centro
emocional del cerebro que almacena información desde
que nacemos y que nos avisa del peligro o de la posibilidad de malos resultados. El córtex frontal es donde se lleva a cabo la mayor parte del análisis y razonamiento. Sin
embargo, en las situaciones de estrés, la amígdala se impo-
ne, por lo que el córtex cerebral no trabaja bien. Por eso
siempre tomamos las mejores decisiones cuando no nos
sentimos abrumados por nada.

El bien pensar es un fenómeno sorprendentemente emocional.
—Cathy Greenberg

Así pues, los empresarios deberían fomentar un ambiente
de confianza y respeto en la empresa. Los empleados son
capaces de tomar decisiones mejores y más éticas cuando
pierden el temor a equivocarse. Y en casa, las madres también son capaces de tomar las mejores decisiones cuando no están sometidas a una situación de estrés excesivo.

La función cerebral completa es la que nos libera de la
rutina y nos permite desarrollar la creatividad y la inno-

vación. Cuando todo tu cerebro se halla implicado en el proceso de toma de decisiones, tus lóbulos frontales coordinan e integran la actividad del cerebro y del sistema nervioso. Los lóbulos frontales permitirán a las madres trabajadoras organizarse mejor, ser creativas a la hora de inventarse juegos para entretener a sus hijos y tomar decisiones mejores en el trabajo.

Cuando los lóbulos frontales se encuentran a pleno rendimiento, el sistema nervioso se halla en una situación de equilibrio y armonía, y las emociones son positivas. Éste es otro elemento esencial para ser feliz.

MEMORIA, SENTIMIENTOS Y CONCIENCIA

El cerebro y la médula espinal conforman nuestro sistema primario, encargado de las sensaciones y de reaccionar ante nuestro entorno. El modo en que nos relacionamos con el mundo pasa a través de los cinco sentidos: la vista, el oído, el gusto, el tacto y el olfato. Y éstos, a su vez, mandan estímulos al cerebro por medio de la médula espinal. La médula espinal y el cerebro, que hospedan las funciones centrales del sistema nervioso, se mantienen constantemente activos y vigilantes para que el cuerpo no sufra ningún daño. Los mensajes químicos —información— que mandan al cerebro, al corazón y a los músculos producen las acciones y reacciones del cuerpo.

Con la evolución humana, el cerebro ha desarrollado miles de conexiones que se activan para protegernos de amenazas percibidas o reales. Por ejemplo, cuando los dedos notan el calor, la reacción inmediata que todos tenemos es apartarlos lo antes posible para no quemarnos. La experiencia estimula la memoria de los sentidos y la mente almacena el recuerdo del incidente como referencia para el futuro. Gracias a la memoria de los sentidos, podremos tomar decisiones mejores en el futuro: en este caso, no quemarnos.

La memoria emocional es el resultado de nuestras decisiones y acciones; pero, si no la cultivamos, nos resultará difícil relacionar las respuestas psicológicas con sus estados emocionales correspondientes. Por ejemplo, puede que cuando te enfades notes tensión en el estómago. No ser consciente de ello implicará perder una buena parte de la información que indica tu estado emocional. La sociedad nos ha enseñado a separar la asociación existente entre las decisiones y sus consecuencias emocionales: se supone que tenemos que «pensar con la cabeza, no con el corazón».

Sin embargo, esta separación de las emociones y la lógica (que en psicología llamamos «disociación») va en contra de lo que una experiencia humana de miles y miles de años nos ha enseñado. Para la supervivencia, nuestros ancestros se fiaban ciegamente de las percepciones sensoriales y del sistema límbico. Si se sentían amenazados, reaccionaban con la emoción del miedo, que estimulaba una acción: huir, contraatacar o realizar cualquier otra acción que eliminara la amenaza o los pusiera a salvo de ella. Asimismo, cuando se les presentaba la oportunidad de alimentarse o resguardarse, actuaban en respuesta a las emociones positivas asociadas a dichas actividades. Dicho de otro modo, se basaban en el contenido emocional de las experiencias anteriores para tomar decisiones que aumentaran las posibilidades de supervivencia.

Decisiones basadas en datos

A pesar de todo, hoy día basamos nuestra supervivencia en decisiones determinadas por datos, métodos analíticos y jerarquías organizativas. Y hasta cierto punto tiene sentido, porque vivimos un mundo en el que cada vez contamos con más conocimientos e información. Por ejemplo, cuando se trata de la supervivencia económica, no nos apoyamos tanto en las emociones como en el análisis de los cambios de los clientes y de las tendencias de los mercados.

Pero al mismo tiempo también reconocemos que, en algunos casos, sobre todo en los de gran complejidad y urgencia, el proceso de toma de decisiones va más allá de lo puramente racional. Así, por ejemplo, oímos decir de quienes han tomado grandes decisiones en el mundo de la empresa, como el ex director de General Electric, Jack Welch, que una de las causas de su éxito es su habilidad en tomar decisiones basándose en su instinto y en su buen olfato para los negocios. Lo que estas expresiones indican es que el proceso de toma de decisiones implica un análisis racional de la situación que ha de ser clarificado y apoyado por las emociones que se le asocian. De hecho, estas emociones pueden llegar a ser decisivas. Por eso puede ocurrir que, aunque todo indique una cosa, el director de una gran empresa, un ama de casa o un cabeza de familia rechace una decisión al darse cuenta de que sus instintos se inclinan por lo contrario; y al revés, también puede pasar que se tome una decisión sin tener en cuenta las señales psicológicas y emocionales, y que uno tenga que arrepentirse después por no haber obedecido a sus instintos.

Pese a reconocer el valor de la inteligencia emocional en el proceso de toma de decisiones, muchas veces puede resultar difícil distinguir nuestro estado emocional, sobre todo en situaciones de estrés. Además, el estrés suele aparecer precisamente cuando ya no nos queda más remedio que tomar una determinada decisión. No obstante, los seres humanos podemos aprender a procesar la información de modo que la inteligencia racional y emocional se integren, incluso en momentos de adversidad. Así es como llegan las mejores decisiones: basándonos en un análisis racional sin perder de vista nuestros instintos. La gran mayoría de las mujeres a las que entrevistamos nos dijeron que, al tener hijos, sus valores y su forma de tomar decisiones cambiaron. Por ejemplo, todos los asuntos relacionados con la seguridad y la salud (suyas y de sus hijos) se convirtieron en algo primordial. Cuando se es soltero y sin hijos, uno suele estar más dispuesto a correr ciertos riesgos.

Felicidad y éxito

Según la Asociación Americana de Psicología de Washington D. C., algunos investigadores, entre los que se encuentra Lyubomirsky, también han unido los conceptos de felicidad y éxito, pero en este orden. Lyubomirsky —que llevó a cabo un estudio con los coautores Laura King, doctora de la Universidad de Columbia (Missouri); Ed Diener, doctor de la Universidad de Urbana-Champaign (Illinois); y The Gallup Organization— afirma que los estudios previos sobre felicidad presuponían que ésta seguía al éxito y a los logros de la vida.

Sin embargo, ellos descubrieron que no tiene por qué ser así. La seguridad es uno de los aspectos que pueden desembocar en un comportamiento conducente al éxito; pero también hay otros aspectos como la inteligencia, la familia, la pericia y la forma física, que pueden desempeñar un papel muy importante. «En lugar de limitarse a seguirlo, la felicidad puede llevar al éxito —dice Lyubomirsky—. Las personas felices son más propensas a tener éxito en el matrimonio, con las amistades, con el dinero, en el trabajo y en la comunidad, e incluso a tener mejor estado de salud y una vida más agradable que las que no lo son». En otras palabras, las personas felices dan lo mejor de sí mismas, y esto es lo que las lleva al éxito.

Felicidad y estrés

Como ocurre con la felicidad, cada uno tiene su propia definición de estrés. Lo que puede causar estrés físico, mental o emocional a una persona no tiene por qué provocarle esta misma tensión a otra. Pero, desde luego, el estrés sale caro, tanto en lo personal (salud, familia, relaciones), como en lo profesional (miles de millones por baja productividad y gastos médicos).

La ciencia ha demostrado que el estrés puede causar desde dolores de cabeza hasta úlceras, apoplejías, hipertensión, endurecimiento de las arterias (arteriosclerosis) y muerte. Es capaz de arruinar un matrimonio, afecta negativamente a los hijos y a ti te pasa factura mental, emocional y físicamente. Además, por supuesto, ahuyenta la felicidad. Lo creáis o no, ¡una persona que llega tarde a una reunión puede presentar el mismo aumento de presión sanguínea, palpitaciones y liberación de hormonas que si le estuvieran robando a punta de navaja! La interacción entre el cerebro y el cuerpo es tremenda. Cuando se vive una situación de estrés prolongado, el cuerpo (con el corazón y la producción de hormonas sobrecargados) se vuelve más susceptible a la enfermedad.

Felicidad y ciencia

La ciencia nos ofrece varias definiciones de estrés. El estrés puede ser una reacción cognitiva, emocional, biofísica o comportamental a una amenaza real o percibida. El cerebro le dice al cuerpo que se encuentra acorralado —siguiendo el ejemplo anterior, que la estufa está caliente—, y el cuerpo no se plantea si será una percepción equivocada, exagerada o distorsionada, sino que reacciona de modo automático —ordena a la mano que se aparte inmediatamente del objeto caliente.

El enfoque cognitivo nos da otra definición: el estrés aparece cuando la realidad no se ajusta a nuestras expectativas.

En cualquier caso, lo que está claro es que nadie da lo mejor de sí mismo en una situación de gran estrés, ya sea en casa, en el trabajo o en ambos sitios.

Historia de un pez

¿Te has parado a pensar alguna vez por qué los salmones mueren después de desovar? Sus glándulas de adrenalina se vuelven hiperactivas por el agotamiento que les produce nadar río arriba hasta llegar al lugar del desove. La actividad constante hace que los mecanismos de control interno fallen y el nivel de adrenalina siga subiendo. Como consecuencia, el salmón muere por exceso de estimulación.

Pero si se le extraen las glándulas de adrenalina inmediatamente después del desove, el salmón sigue viviendo feliz y contento hasta disfrutar de la jubilación en su arroyo natal.

La influencia positiva

Varias investigaciones indican que las emociones positivas (felicidad) producen cambios positivos en el cuerpo.

En 2005, el doctor Michael Miller, de la Universidad de Medicina de Maryland, demostró por primera vez que la risa mejora la función de los vasos sanguíneos, puesto que su recubrimiento se dilata al aumentar el flujo sanguíneo.[6]

El poder de la música

La música agradable también es un buen estímulo para el corazón. Así nos lo aseguran los investigadores del equipo del profesor Michael Miller, doctor en Medicina y director del Departamento de Cardiología Preventiva del centro médico de la Universidad de Medicina de Baltimore (Maryland).

«Escuchar música agradable produce el mismo efecto que la risa: el recubrimiento interior de los vasos sanguíneos se dilata al aumentar el flujo sanguíneo», sostiene Miller, quien también dirigió la investigación sobre la risa de 2005.

Por otra parte, en la investigación sobre la música de 2008, la música estresante hizo que los vasos sanguíneos de los participantes se contrajeran. Como cada uno tiene sus propias preferencias, los participantes eligieron la música que más les gustaba. «No sabemos por qué hay personas que se inclinan por cierto tipo de música clásica. Aunque no vaya acompañada de palabras, la melodía, la armonía y el ritmo son capaces de causar una respuesta emocional y cardiovascular», dice Miller.

Este impacto psicológico podría afectar a la actividad química del cerebro, que produce una sustancia llamada endorfina. «Escuchar música de forma activa suscita unas emociones positivas que en parte podrían deberse a la segregación de endorfina, la cual a su vez forma parte de esa conexión entre el corazón y la mente que estamos deseando conocer más a fondo», afirma Miller.[7]

Un estudio de la Universidad de Pittsburgh descubrió que las mujeres coléricas y deprimidas son más propensas a desarrollar arteriosclerosis y suelen llevar un estilo de vida que las expone a ello. Entre los factores de alto riesgo se encuentran el tabaco, la falta de ejercicio físico y los bajos niveles de «colesterol bueno».[8]

Los estudios dirigidos por el psicólogo Sheldon Cohen, profesor de Psicología en la Universidad Carnegie Mellon (Pittsburgh), también demuestran que el estrés y las respuestas emocionales negativas afectan al sistema inmunológico. Simple y llanamente, puesto que la felicidad refuerza el sistema inmunológico, te ayudará a prevenir los resfriados.[9]

Pon la felicidad en tu MP3

Elabora una lista de canciones para tu MP3 y haz el firme propósito de escuchar, como mínimo, una al día. Elige la música que más te guste. También puedes confeccionar varias listas, una alegre, otra melódica...

Psicología positiva

La psicología positiva pone el énfasis en lo bueno, y no en lo malo. Se basa en un modelo de posibilidades y prosperidad, y no en las enfermedades y disfunciones. Como su nombre indica, el centro de la psicología positiva es la felicidad y la fuerza de cada individuo, no sus debilidades. Mediante el análisis de lo bueno que hay en nuestros modelos mentales, vidas, trabajos, familias y motivaciones, seremos capaces de dar grandes pasos a la hora de mejorar la autoconciencia, la autoestima (al darnos cuenta de que entre maternidad y trabajo no existe ningún «conflicto de intereses») y a ser más positivas. Y, como ser más positivas es bueno para el cuerpo, la mente y el corazón, disfrutaremos de una vida mejor y más completa.

Las emociones positivas son esenciales para el bienestar.
—Barrett Avigdor

El doctor Corey Lee M. Keyes, profesor titular del departamento de Sociología de la Universidad de Emory (Atlanta), es un defensor del enfoque positivo a la hora de medir y fomentar la salud mental y la prosperidad. Junto con Jonathan Haidt, es coautor de *Flourishing: Positive Psycology and the Life Well-Lived*. «La prosperidad —dice Keyes— es la consecuencia del bienestar emocional, psicológico y social que se deriva de la experiencia de una vida llena de vigor, vitalidad, determinación, crecimiento continuo, buenas relaciones, motivación y significado».[10]

Siguiendo el enfoque de Keyes, Barbara L. Fredrickson, de la Universidad de Chapel Hill (Carolina del Norte) y Marcial F. Losada, de la Universidad Católica de Brasilia, definen la prosperidad como «vivir a una cota óptima de funcionamiento humano, que es la que implica bondad [...], crecimiento y fuerza». Basándose en los resultados de su investigación, nos proponen un conjunto de principios matemáticos que describen las relaciones existentes entre las impresiones positivas y la prosperidad humana.[11]

Felicidad e inteligencia del corazón

Los investigadores científicos también estudian los métodos psicológicos que el corazón usa para comunicarse con el cerebro a fin de influir en cómo sentimos, interpretamos y actuamos. El Institute of HeartMath (www.heartmath.org), en Boulder Creek (California), ha definido la inteligencia del corazón como «el flujo de consciencia, entendimiento e intuición que experimentamos cuando la mente y las emociones se encuentran en coherente armonía con el corazón. Cada uno de nosotros tiene la capacidad de activarla y, cuanta más atención prestemos al corazón cuando nos habla y nos guía, mayor será nuestra habilidad para acceder a este tipo de inteligencia y dejarnos guiar por ella».

El instituto insiste en la importancia de la coherencia para nuestro bienestar físico, espiritual, emocional y personal. «La coherencia, en relación con cualquier sistema, incluidos los del cuerpo humano, se refiere a una conexión lógica, ordenada y armoniosa entre las partes. Tomando la idea de la física, podemos afirmar que cuando nos encontramos en un estado de coherencia, no malgastamos, literalmente, ningún tipo de energía porque nuestros sistemas funcionan de forma óptima; se produce una perfecta sincronía entre el corazón, el cerebro, el sistema respiratorio, la presión sanguínea, la variabilidad de la frecuencia cardíaca, etc. Cuando hablamos de coherencia en el ritmo cardíaco, nos referimos a unas pautas de ritmo cardíaco ordenado y fluido. Entre los muchos beneficios de la coherencia destacan la calma, los buenos niveles de energía, la claridad de pensamiento, el equilibrio emocional y el buen funcionamiento del sistema inmunológico —afirma el instituto—. Todos podemos adquirir, mantener y aumentar la coherencia [...] a través de los sentimientos positivos intencionales, como la compasión, el cariño, el amor y otras emociones semejantes; pero también podemos ser muy incoherentes si nos dejamos llevar por la rabia, el miedo o la ansiedad».

El Institute of HeartMath es una de las organizaciones líderes en el estudio de los mecanismos psicológicos implicados en la comunicación entre la mente y el corazón.

Las emociones negativas crean disonancia en el ritmo cardíaco y en el sistema nervioso autónomo. Y, al mismo tiempo, esta falta de armonía aumenta el estrés en el oído y otros órganos. La felicidad vuelve a presentarse como la clave para lograr el bienestar físico, mental, emocional y la salud maternal.

Balance final: ejercicio

USA TODO EL CEREBRO EN LA TOMA DE DECISIONES

Las mujeres son famosas por su intuición. Una forma más científica de definir la intuición es pensar con todo el cerebro. El cerebro tiene varias partes. El mesoencéfalo o cerebro mamífero se encarga del sistema límbico: respiración, actividad cardíaca y funciones del sistema nervioso. Puede que lo conozcas por su nombre común: el instinto. Los lóbulos frontales, que también reciben el nombre de cerebro ejecutivo, es donde tienen lugar las principales funciones cognitivas. Las mejores decisiones son las que se toman usando todas las áreas del cerebro. Aunque pueda parecer obvio, a la hora de tomar decisiones solemos ignorar las emociones (las señales que nos envía el sistema límbico), por lo que nos limitamos a usar una parte del cerebro. Con este ejercicio aprenderás a escuchar todas las señales de tu cuerpo para descifrar los mensajes del instinto y usar dicha información cuando tengas que tomar una decisión. Vas a necesitar un reloj con alarma, un cuaderno, un bolígrafo y un sillón cómodo en una habitación tranquila.

1. Siéntate en un sillón cómodo, con las piernas y los brazos estirados y relajados. Asegúrate de tener a mano un bolígrafo y un cuaderno.

2. Prepara la alarma del reloj para que suene dentro de tres minutos.

3. Cierra los ojos y recuerda, con todo lujo de detalles, una situación de trabajo en la que sentiste una importante reacción emocional negativa. El objetivo es ayudarte a reconocer las señales negativas que te manda el cuerpo. Puede que recuerdes una discusión con tu jefe, o con un compañero, o una reunión en la que se ignoraron o se pusieron en duda tus ideas. Divide los tres minutos en tres fases distintas. Dedica el primer minuto a concentrarte en la experiencia emocional; el segundo, a las reacciones fisiológicas que acompañaron a la experiencia emocional; y el tercero, a revisar y organizar tus reacciones fisiológicas para poder escribirlas en cuanto se agote el tiempo.

(continúa)

4. Se acabó el tiempo. Apunta las reacciones fisiológicas en el papel. También puedes hacer antes una lista de respuestas posibles y marcar las que hayas recordado durante el ejercicio, pero no te limites a la lista; asegúrate de dejar espacio para otras reacciones que hayas podido recordar.

Tu lista podría ser algo así:

- Respiración acelerada
- Respiración superficial
- Ritmo cardíaco acelerado
- Tensión muscular (escribe dónde)
- Boca seca
- Salivación
- Zumbido en los oídos
- Presión en el estómago
- Cosquilleo en el estómago

5. Ahora repite el ejercicio centrándote en un recuerdo positivo. Piensa en un buen momento que vivieras en el trabajo, en algo que hiciste y que te ayudó a lograr un determinado objetivo.

Tu lista podría ser algo así:

- Relajación (escribe en qué músculos)
- Sensación de ligereza
- Satisfacción
- Respiración tranquila
- Sonrisa involuntaria
- Sensación de fuerza

6. Ya tienes una lista de variables con las reacciones fisiológicas que te producen los estados emocionales positivos y negativos. Ahora piensa en una decisión que vas a tener que tomar pronto.

7. Siéntate, relájate y ponte cómoda. Imagínate cómo será tu vida cuando hayas decidido una de las opciones que se te presentan. Intenta visualizar una imagen mental con todos los detalles que puedas.

8. Analiza durante tres minutos tus reacciones fisiológicas. Escribe tus impresiones y después mira la lista para comparar las respuestas. ¿Se parece más a la lista del recuerdo positivo o a la del recuerdo negativo? Si se parece mucho a la del recuerdo positivo, es porque los lóbulos temporales y el sistema límbico están en armonía con tu elección y estás pensando con todo el cerebro. Pero si tus respuestas se parecen más a las de la lista del recuerdo negativo, ya sabes que tu instinto te está diciendo que rechaces esa opción, por muy racional que te pueda parecer. Y si las respuestas que has apuntado se encuentran mezcladas entre las dos listas anteriores, es que no estás preparada para tomar esa decisión, por lo que necesitas obtener más datos, ya sean reales o emocionales.

Capítulo 3

Cómo puede aplicar el método
H. A. P. P. Y. una mujer trabajadora

El secreto de las madres trabajadoras y felices
es que pueden tener todo lo que consideren importante para ellas.
— Sherry Brennan, madre y vicepresidenta
de la sección de estrategias de venta
y desarrollo de la cadena Fox

Para que una madre trabajadora pueda dar lo mejor de sí misma en el plano de lo personal, con sus hijos, su familia y sus compañeros de trabajo, tiene que ser H. A. P. P. Y.

Los cinco puntos vitales del método H. A. P. P. Y. son los siguientes:

H. A. P. P. Y.		
Healthy	Saludable	Tener una buena salud física y mental.
Adaptative	Adaptable, flexible	Un alto cociente de adaptabilidad y buena salud te harán más flexible.
Proud of your family	Orgullosa de tu familia	Estar orgullosa y contenta de tu familia por ser como es.
Proud of your work	Orgullosa de tu trabajo	Estar orgullosa y no sentirte culpable por lo importante que es el trabajo para ti.
Young at heart	Joven de corazón	Capaz de descubrir la alegría dondequiera que estés.

Ésta es la definición de felicidad de *Fuera culpas. El secreto de las madres trabajadoras felices.* De estos cinco puntos se deriva toda una serie de comportamientos con efecto dominó que inspirarán positivamente una vida completa y feliz.

Vamos a analizarlos uno a uno.

H: *Healthy*. Tu salud física y mental

Tu salud depende de ti. Tú eres la jefa de la empresa (tu cuerpo) y, por tanto, tú tienes la responsabilidad de establecer las condiciones, dirigir las operaciones y tomar las decisiones que te lleven al resultado final (tu salud).

Lo que comes te afecta

Según la Asociación Americana de Dietética, todo lo que comemos nos afecta porque la química del cuerpo reacciona de forma distinta a algunos alimentos. Por ejemplo, el estrés nos puede llevar a comer muchos carbohidratos porque aumentan los niveles de serotonina, que tienen un efecto calmante.[1]

Algunos detalles

Un cuerpo sano necesita buenos alimentos, descanso suficiente, ejercicio regular y 10 o 12 minutos de tranquilidad al día.

Pausa de *coaching* personal: un estilo de vida saludable

Tómate unos minutos para contestar a algunas preguntas sobre lo que la salud física y mental significa para ti:

- ¿Cuáles son los objetivos que quiero alcanzar con un estilo de vida saludable?
- ¿Soy responsable en lo que se refiere a mi salud?

(continúa)

- ¿Cómo me siento cuando gozo de buena salud?
- ¿Qué es necesario para llevar una vida saludable?
- ¿Qué puedo hacer para mejorar mi estado de salud?
- ¿Qué puedo pedirles a los demás para conseguirlo?
- ¿Puedo modificar mi horario para mejorar mi salud?

Alimenta la mente y no hagas pasar hambre a tu cuerpo

Comer bien es más fácil si tienes en cuenta los alimentos que son buenos para la mente y el corazón. Varias organizaciones, como el Ministerio de Sanidad, Política e Igualdad (www.msc.es), te ofrecen información acerca de tu salud o de patologías. Asimismo, puedes documentarte en la Sociedad Española de Cardiología (www.secardiologia.es). La red también te ofrece la oportunidad de consultar distintos sitios web, donde se dan muchos consejos, trucos e incluso recetas para ayudarte a vivir de un modo más saludable y feliz. Otra fuente excepcional de información es *My Brain Health*, del famoso escritor Daniel G. Amen, doctor en Medicina, psiquiatra, especialista de neuroimagen e investigador clínico de psiquiatría y comportamiento humano de la Universidad de California (Irvine School of Medicine).[2]

Puedes empezar haciéndote el propósito de incorporar a tu dieta comidas saludables dos veces por semana. No nos referimos a una dieta para perder peso, sino a una dieta que te ayudará a desarrollar la energía necesaria para lograr una mayor claridad mental y una mayor fuerza física para aumentar tu eficacia como madre y como trabajadora.

Tus niveles de energía no sólo se ven afectados por lo que comes, sino también por cuándo y en qué cantidad. Los bajones de la tarde, por ejemplo, pueden ser el resultado de un horario de comidas o una elección de alimentos poco adecuados, tal y como afirman los especialistas. La mejor forma de combatirlos es dejar unas tres o cuatro horas entre las comidas y tomar proteínas de bajo contenido en grasas y carbohidratos complejos (polisacáridos).

Alimentos buenos para el corazón

La Asociación Americana de Dietética (www.eatright. org) afirma que la actividad física regular, la buena alimentación y saber combatir el estrés son factores esenciales para la salud del corazón. Esta organización sin ánimo de lucro nos aconseja lo siguiente:[3]

- Limita el consumo de alimentos con altos niveles de grasa saturada, ya que incrementan los niveles de «colesterol malo» (LDL).
- Aumenta la ingesta de proteínas vegetales, pescado, carne de corral y lácteos desnatados.
- Cocina con menos mantequilla o margarina, o sustitúyelas por aceite de oliva o aceites vegetales.
- Ten en cuenta los alimentos beneficiosos para el corazón:

(continúa)

- Judías, guisantes y cebada
- Soja y preparados de soja (excepto aceite de soja)
- Fruta y verdura
- Salmón, atún, sardinas y caballa
- Zumo de uva roja y morada
- Frutos secos, como almendras, nueces y avellanas
- Cebolla, cebollino, cebolleta, ajo y puerros

«Lo que comemos es esencial para las funciones cerebrales y la salud del corazón», dice el doctor Amen. En su libro, *Making a Good Brain Great* (Harmony, 2005), nos ofrece unos consejos prácticos para optimizar la salud del cerebro:

- **Bebe mucha agua:** más de dos litros al día, o lo que es igual, unos nueve vasos de agua. **Consejo:** puedes llevar una botella de agua en el coche y tomar un poco cada vez que te pares en un semáforo en rojo.
- **Incluye grasas buenas en tu dieta:** pese al bombardeo publicitario contra las grasas, tu cuerpo necesita algunas grasas para mantener una buena salud. La clave está en tomar menos grasas malas, que son las de origen animal, y suelen llegar a nuestra dieta a través de los productos lácteos, la carne roja y el cerdo. **Consejo:** lee las etiquetas de los productos y sustituye la mantequilla por el aceite de oliva.
- **Incluye antioxidantes en tu dieta:** toma multivitaminas que contengan unos 800 mg de ácido fólico, 50 mg de B-6, y de 500 a 1.000 mg de B-12.

Consejo: si tienes dificultad para concentrarte o poca energía, añade de 60 a 120 mg de ginkgo biloba como suplemento a tu dieta diaria.

- **Asegúrate de que tu dieta mantenga un buen equilibrio entre proteínas, grasas buenas y carbohidratos:** una buena dieta es la que mantiene un buen equilibrio entre los tres. **Consejo:** una dieta equilibrada es una dieta llena de color.

- **Mejora tu salud con los «alimentos del cerebro»:** salmón, pollo, pavo, huevos, tofu, soja, lácteos desnatados, judías, frutos secos, semillas, bayas, naranjas, cerezas, brócoli, avena, maíz, germen de trigo, pimiento rojo, espinacas, tomates y batatas. **Consejo:** intenta tomar al menos uno de estos alimentos al día.

- **Reduce las calorías:** las investigaciones han demostrado que las personas que comen menos de 1.800 calorías al día viven más años y con mejor salud. **Consejo:** vive más y mejor.

- **Duerme:** los adultos necesitan dormir ocho horas al día. **Consejo:** si tienes que elegir entre ver la tele, leer correos electrónicos o dormir, vete a dormir.

- **Medita:** la relajación mental ayuda a recobrar las fuerzas y a reducir el estrés. El doctor Amen afirma que doce minutos de meditación al día son esenciales para la salud mental. **Consejo:** siéntate en un lugar cómodo, cierra los ojos y concéntrate en la respiración. No pienses en nada. Los pensamientos fluirán por tu cerebro; sé consciente de ellos, pero no te dejes arrastrar por ninguno en especial. Para dejar la mente en blanco, concentra toda tu atención en la respiración.

- **Haz ejercicio:** dedica un mínimo de treinta minutos al día a un ejercicio ligero o moderado. **Consejo:** entérate de si dan algún programa de aerobic por la televisión.

Unas últimas palabras sobre la necesidad del ejercicio: además de sus propiedades médicas y estéticas, el ejercicio físico reduce el estrés en casa y en el trabajo. Durante el curso de nuestra investigación, le preguntamos a más de mil madres trabajadoras qué hacían para reducir el estrés. La respuesta fue aplastante: «ejercicio»; y la segunda respuesta, por orden de importancia, fue: «salir de compras... sola».

El ejercicio no tiene por qué quitarte mucho tiempo. Para las madres trabajadoras que no tengan ni un minuto libre, la entrenadora de Los Ángeles Debbie Rocker, que fue atleta profesional, ciclista e impulsora de la bicicleta estática, tiene la solución: su chaqueta de paseo WALKVEST®. Es como una chaqueta para ir de pesca, repleta de bolsillos en los que se mete un total de dos kilos distribuidos en pequeñas pesas. Con ella puedes andar por la casa, empujar el cochecito del niño o salir para hacer la compra. Es perfecta para antes y después del embarazo si quieres perder peso y ponerte en forma. (La encontrarás en la página web de Debbie Rocker: www.walkvest.com).

Patty, enfermera y madre de tres hijos, sabe muy bien lo que es sentirse en forma o no. «Cuando los niños eran pequeños, iba tan justa de tiempo que tuve que dejar de lado todo lo que solía hacer para mantenerme en forma. Me sentía culpable por salir una hora a correr cuando tenía tan poco tiempo para estar con mis hijos. Pero, claro, terminé sintiéndome tan cansada e irritada, que tampoco me encontraba a gusto con ellos». Al año siguiente, Patty cambió las cosas. Consiguió cambiar su turno de trabajo para entrar más tarde y así tener más tiempo durante el día para estar con sus hijos mientras estaban despiertos. Y también se aseguró de tener por lo menos una hora para ir a correr, montar en bicicleta o hacer yoga cinco días a la semana. «Ahora vuelvo a ser la de antes. Me siento más fuerte y de buen humor. Para mí, el ejercicio es como una inversión: me ayuda a ser mejor como madre, esposa y enfermera».

La salud emocional

Ser una madre trabajadora requiere muchísima energía, y para eso hay que tener una buena salud emocional. La energía y la salud emocional dependen, en gran medida, de la gente que nos rodea. Pero, para lograr mantener una buena salud emocional en casa y en el trabajo, la verdad es que necesitamos mucho más que un abrazo de nuestros hijos.

Historia de una madre

Jessica tiene tres trabajos que adora: es madre, ama de casa y escritora de éxito. Está muy contenta con su situación, pero a veces se siente al límite de sus fuerzas. ¿De dónde saca toda su energía? «Cuando mi hija sale corriendo con los brazos abiertos y me dice: "¡Mamá, ahí va una ola de energía!" ¡Y me da un enorme abrazo de oso! Eso es la felicidad».

Aprovechar la energía

Puede que te sorprenda hasta qué punto influyen los demás en tu salud emocional. Prepárate para descubrirlo. Haz el ejercicio que hemos llamado «control de energía».

Pausa de *coaching* personal: control de energía

Haz dos columnas en un papel. En la primera columna, la de la izquierda, coloca un signo más (+); y en la de la derecha, un signo menos (-).

A la izquierda, haz una lista con las personas que te transmiten energía, las personas que hacen que te sientas mejor después de haber pasado tiempo con ellas, que te ponen de buen humor y hacen que veas el mundo de otra manera. Después, a la derecha, escribe los nombres de las personas que, aunque te gusten (o incluso las quieras), tienden a dejarte sin fuerzas cuando estás con ellas.

Has de ser sincera contigo misma, aunque te duela. Esta lista no la va a ver nadie más que tú.

Puede que tengas que poner a la misma persona en las dos columnas; no importa, anótala en las dos y explica por qué.

Este ejercicio te dará una idea clara de quiénes te transmiten energía positiva. Intenta pasar más tiempo con las personas de la primera columna. Con pasar tan sólo unos quince minutos al día hablando con una de ellas, tu salud emocional mejorará considerablemente. En cuanto a las personas de la otra columna, párate a pensar si de verdad estás obligada a pasar tiempo con ellas. Si son personas cercanas a ti —como tu pareja o un compañero de trabajo—, podrías intentar cambiar el tipo de relación que tienes con ellas o hacer todo lo posible por cambiar la forma en que os comunicáis para que no resulte tan agotador. Si no puedes (o no quieres) pasar menos tiempo con ellas, procura explicarles qué es lo que te cansa de tu relación con ellas. Tal vez podrían cambiar la forma en que te hablan o se dirigen a ti, y así neutralizar la energía negativa. Si eres capaz de identificar lo que te deja sin fuerzas en la interacción con una persona, podrás establecer ciertos límites para seguir adelante con la relación sin tener que derrochar tanto esfuerzo en el camino.

Historia de una madre

Claudia, trabajadora y madre de dos hijos, se sentía extenuada... y una de las causas de su infelicidad era un marido que no sabía ayudarla.

—¿Para qué trabajas tanto para una empresa a la que le das exactamente igual? ¿De verdad crees que la gente que trabaja contigo te va a respetar más porque dejes tirada a tu familia? —le preguntó su marido un buen día.

Claudia respiró profundamente para no discutir. No le parecía justo que Michael le hablara de esa manera. Ella estaba haciendo todo lo que podía para criar a dos hijos mientras trabajaba sesenta horas a la semana en un bufete de abogados.

Cuanto más lo intentaba, más la criticaba Michael.

(continúa)

Al fin y al cabo, ella era la que iba a las tutorías y reuniones de padres del colegio y la que siempre sacaba tiempo de debajo de las piedras para llevar a los niños al médico; y, aunque su sueldo suponía más de la mitad de los ingresos de la familia, seguía sintiéndose culpable debido a las constantes críticas de su marido. Él también trabajaba mucho, por supuesto, pero siempre llegaba antes a casa y jamás se le ocurrió ponerse a hacer la cena o jugar con los niños. Una tarde, Claudia llegó a casa a las siete de la tarde y se encontró a su marido viendo la televisión mientras los niños jugaban solos en el suelo.

Se sintió triste y sola. Toda su vida se dividía entre el trabajo y los hijos. No le quedaba ni un minuto para ella, y mucho menos para ellos dos como pareja. Claudia se sintió fracasada como abogada y como madre.

Una tarde, mientras preparaba las maletas para un viaje de negocios que tenía que hacer al día siguiente, la situación se le fue de las manos.

—Y ya de paso, ¿por qué no te quedas allí? —preguntó Michael—. De todas formas, tú nunca estás aquí; así que, ¿por qué no te quedas allí a trabajar las veinticuatro horas del día, que es lo que quieres?

—¡Eso no es verdad! —gritó Claudia—. Yo estoy haciendo de todo para que las cosas funcionen, ¡y no creo que tú estés ayudando mucho! —El niño se echó a llorar y la conversación terminó.

Decidieron ir a un consejero matrimonial. El ambiente neutral les dio la oportunidad de hablar con total libertad sobre los problemas que tenían como padres trabajadores y lo que cada uno de ellos esperaba del otro.

Michael se dio cuenta de que estaba presionando demasiado a Claudia y de que sus comentarios negativos la herían profundamente; y Claudia aprendió a pedir ayuda cuando la necesitara. Como le explicó el consejero, no podía pretender que los demás la ayudaran sin que se lo pidiera.

También aprendió a estar más atenta para darse cuenta de qué era lo que de verdad le importaba y a respetar sus deseos como madre y como profesional. Decidió que, para ella, era más importante poder pasar más tiempo con sus hijos que convertirse en socio del bufete en cinco años. Seguía deseándolo, pero no le importaba tener que ir un poco más despacio. Así pues, fue a hablar con su jefe y se pusieron de acuerdo para que la dejara trabajar más cerca de su casa y redujera el ritmo de los viajes. Su carrera profesional se ralentizó, pero valió la pena.

Claudia también se dio cuenta de que *superwoman* no exite y tampoco pasa nada. Lo que en realidad cuenta es hacer las cosas lo mejor posible. En estos momentos, Claudia es una madre feliz que disfruta de los logros de sus hijos, una esposa feliz que ama a su marido tal y como es, y una excelente profesional, aunque su ascenso haya sido más lento de lo que esperaba.

El factor «culpabilidad»

Sentirse culpable —sentimiento que mina las bases de la salud emocional— se ha convertido en una verdadera epidemia entre las madres trabajadoras, sobre todo en las sociedades más conservadoras, en las que se espera que todas las madres se queden en casa para ocuparse únicamente de los hijos; aunque todo esto ha empezado a cambiar poco a poco, conforme las madres han ido volviendo a sus puestos de trabajo, principalmente por motivos económicos.

Desde que las mujeres entraron a formar parte de la población activa en la década de 1960, se empezaron a oír historias sobre cuánto sufren los hijos de madres que se pasan el día en el trabajo. Sin embargo, las investigaciones (y lo que dicen los hijos de madres trabajadoras) demuestran que no es verdad. Los hijos crecen estupendamente y se sienten más seguros en un hogar estable y rodeados de cariño. Que sus madres trabajen o no es completamente irrelevante.

Al sentimiento de culpa que sienten las madres por el simple hecho de salir a trabajar, se suma un ambiente de trabajo pensado para hombres con esposas que dedican sus vidas exclusivamente al cuidado de la casa. Por eso, las exigencias del trabajo suelen entrar en conflicto con las exigencias derivadas del cuidado de los hijos. En cualquier caso, todo esto está cambiando lentamente desde que las empresas han empezado a adoptar unos horarios laborales más flexibles o han posibilitado en algunos casos trabajar media jornada durante cierto tiempo, o bien se han podido acoger a algún tipo de permiso (conservación del puesto de trabajo sin remuneración) para cuidar de algún miembro de su familia. Aun así, todavía hay muchas mujeres convencidas de que deberían sacrificar sus carreras para dedicarse exclusivamente a la familia.

Sofía, de 33 años, siempre supo que si algún día llegaba a tener hijos (hoy ya tiene uno y espera otro) no abandonaría su carrera profesional. «Si vives en Buenos Aires, la cosa se complica —dice—, porque la sociedad latinoamericana prevé que la madre se quede en casa con los hijos. Cuando tengo que salir de viaje, mi madre y mi suegra siempre tienen algún comentario que hacer. Pero ellas son de otra generación, y no entienden lo que es ser una madre trabajadora. El trabajo contribuye a mi desarrollo intelectual y personal, y así, cuando estoy con mis hijos, les dedico un "tiempo de calidad"».

Si eres madre y te sientes culpable por el tiempo que dedicas al trabajo, piensa en lo que has aportado esta semana como:

- Madre
- Trabajadora
- Esposa o pareja
- Ama de casa

Recuerda que las pequeñas cosas que puedas hacer por los demás son mucho más importantes que pasar tiempo con ellos. Si has ayudado a tu hijo a aprender algo nuevo o le has hecho reír, y si has ayudado a un compañero de trabajo a conseguir algo, ésas son aportaciones que has hecho a tu relación con ellos.

A: *Adaptative*. Adaptable y flexible

Cualquier madre trabajadora sabe que los cambios forman parte de la vida. Los turnos de trabajo cambian, las niñeras se van y los niños enferman. En el preciso instante en que piensas que algo está controlado, cambia. La diferencia entre agobiarse o ser feliz radica en el modo en que afrontamos los cambios. La habilidad para hacer frente a los cambios es lo que llamamos «cociente de adaptabilidad».

Tener bien claro cuáles son tus motivaciones y prioridades es fundamental para superar los cambios y el estrés. Por otra parte, conforme vas aprendiendo a adaptarte con más rapidez, también va incrementando tu cociente de adaptabilidad. Un cociente de adaptabilidad alto te hará más segura y feliz. Cualquiera que sea tu cociente de adaptabilidad, siempre podrás aumentarlo al tomar tus decisiones basándote en lo que es más importante para ti.

La flexibilidad (o adaptabilidad) no significa dar hasta quedarse sin nada. Un cuento muy famoso que tal vez hayas leído es *El árbol generoso*, del célebre poeta y escritor Shel Silverstein. Narra la historia de un niño pequeño y un árbol muy especial que lo quería tanto que le fue dando todas sus hojas hasta quedarse sólo con el tronco.

La sociedad nos dice que las madres son como ese árbol. Se supone que tenemos que dar a nuestros hijos un amor desinteresado al que no debemos poner ningún límite, ni siquiera el de nuestra propia felicidad. De los padres nadie espera que empeñen o aplacen su felicidad; de las madres, sí. Sin embargo, de una exigencia como ésta se deriva la infelicidad, tanto de la madre como de los hijos. Las madres que renuncian a todo en nombre de los hijos tienen más posibilidades de vivir, indirectamente, a través de ellos. Hasta pueden llegar a involucrarse tanto en la vida de los hijos que terminan por interponerse en su camino e impedir que desarrollen sus propias habilidades de aprendizaje y la capacidad para afrontar los problemas de la vida.

Todas las madres consagramos un amor incondicional a nuestros hijos. Como el árbol generoso, todas estamos dispuestas a hacer cualquier cosa con tal de que nuestros hijos sean felices y tengan éxito en la vida. Pero también tenemos la obligación de cuidar de nosotras mismas, por nuestro bien, el de nuestros hijos y el de nuestro trabajo. Si queremos dar lo mejor de nosotras mismas, tenemos que estar contentas y sentirnos fuertes, y para esto tenemos que ser capaces de vivir nuestra propia vida, además de nuestra vida como madres. El trabajo ayuda a muchas mujeres a no perder de vista lo que son, personas adultas e individuales, y a mantener su conexión con el mundo real, más allá de las fiestas de cumpleaños o los libros de cuentos.

Para muchas mujeres, quedarse en casa cuidando de los hijos es la realización de un sueño, el fin último de sus vidas. Nosotras queremos demostrarles nuestro apoyo y elogiarlas por ser capaces de perseguir sus sueños por encima de todo. Pero el hecho es que las madres no son sólo madres. También son mujeres adultas, con su propia identidad, con su propia razón de ser y con su propia visión del mundo, y no podemos perder de vista que gran parte de la felicidad viene de la lucha por vivir la vida que uno cree que ha de vivir, y no la que la sociedad le imponga.

El objetivo de las madres trabajadoras es establecer los límites adecuados de cara a los hijos, a las relaciones y al trabajo de modo que aún les quede algo para ellas mismas. Eso sí que es un alto cociente de adaptabilidad.

El cuento de una madre

Addie Mae es una de esas pocas mujeres que lograron combinar una vida de trabajo con una vida feliz como madre sin perder de vista lo que de verdad importa. Addie ama la vida, y se nota. Es una madre jubilada y feliz. Tiene 6 hijos (que viven en Texas, Ohio, Kentucky y Arizona), 26 nietos, 38 biznietos y 3 tataranietos. La coautora Cathy Greenberg la conoció en un avión. Ésta es su historia.

Addie Mae nació en Louisville (Kentucky), y creció durante la Gran Depresión. Su padre abandonó a su familia cuando ella tenía 2 años. Con 12, empezó a trabajar como niñera para las madres trabajadoras de su ciudad natal. Con 15, y siguiendo los pasos de su madre, se puso a trabajar como asistenta después del colegio. Le encantaba que su madre hubiera trabajado en el servicio doméstico de la escritora Helen Keller.

Addie Mae siempre miró la vida con los ojos de lo que podría llegar a ser. Su optimismo, esperanza, orgullo y alegría aún brillan en su mirada. Estuvo trabajando en una fábrica de caucho en Alabama, al principio como cocinera. Después de veintiún años de servicio por horas, se convirtió en supervisora, y más tarde entró a formar parte de la administración antes de jubilarse.

Con 58 años, Addie Mae estudió en la universidad del norte de Alabama, la Florence State University. Disfrutó mucho, porque le encanta aprender. En 1947, fue la estudiante que su clase eligió para pronunciar el discurso de la ceremonia de graduación.

El día en que la conocí, Addie Mae volvía del funeral de su hermana Evelyn. Jamás me lo habría imaginado. La vivacidad con que me contaba su historia irradiaba por todos los poros de su cuerpo. Me habló de su casa, donde le encanta preparar sus recetas favoritas de tarta de nueces, pastel de batata y su relleno de ostras con pan de maíz para el día de Acción de Gracias.

Su mejor amiga, Sheila, de 71 años, le levanta el ánimo todos los días con su buen humor, al igual que todas las demás amigas que tiene en Green Valley (Arizona).

El secreto que le ha permitido a Addie Mae educar a una familia feliz como madre trabajadora y sin ningún apoyo durante muchos años han sido su amor férreo y la alegría que le produce servir a los demás. «Poder servir a los demás es un privilegio que he tenido en mi vida. Todos los días intento hacer algo por alguien», dice. Cuando se le pregunta por las dificultades y tribulaciones que ha tenido que sufrir en su vida, contesta: «La vida es lo que tú quieres que sea».

Addie Mae se ha construido una vida estupenda, para ella y para sus hijos. Cuando aterrizamos, uno de sus hijos la estaba esperando. Le cogió la pequeña maleta que llevaba como equipaje de mano. Ya estaba en casa. El amor y la admiración que se veía en los ojos de su hijo es la merecida recompensa de una madre que ha trabajado y se ha educado a sí misma, a su familia y amigos, y a todos los clientes y personas que se ha ido encontrando por el camino. *Sus palabras resuenan en mi mente a todas horas: «Todos los días intento hacer algo por al-*

(continúa)

guien». Es fabuloso. Como madre trabajadora, me encantaría que todo el mundo tuviera ese lema. La vida sería mucho más fácil. Como me dijo mi padre una vez: «Intenta ser descabelladamente amable siempre que puedas». Desde entonces, ¡echo monedas en los parquímetros cada vez que veo un coche aparcado al que se le ha pasado el tiempo!

—Cathy Greenberg

P: *Proud of your family.* **Orgullosa de tu familia**
P: *Proud of your work.* **Orgullosa de tu trabajo**

Nadie espera que sus amigos o compañeros de trabajo sean perfectos, pero muchas de nosotras sí que nos exigimos ser perfectas (y, si hemos de ser sinceras, también pretendemos que nuestros hijos lo sean).

Cuando ponemos el listón tan alto, la decepción es inevitable. Pero, para ser felices, sí que tenemos que estar orgullosas de nosotras mismas, y esto se consigue con un trabajo bien hecho, aunque no necesariamente perfecto. Si trabajas lo mejor que puedes, has de estar orgullosa; si tu hijo no es el mejor atleta, ni el estudiante más brillante de la escuela, pero es amable y considerado, has de estar orgullosa. El orgullo es una forma de gratitud. Es sentirse bien por lo que aportamos al trabajo y en casa.

Si tu trabajo concuerda con tus valores, te resultará mucho más fácil sentirte orgullosa. Pero primero deberás tener muy claro cuáles son tus valores y prioridades (véase el ejercicio «Pausa de *coaching* personal: tus prioridades» del capítulo 1). Al igual que nadie te va a admirar por todo lo bueno que haga tu empresa o la escuela de tus hijos, tampoco tienes por qué echarte la culpa de todo lo que no te guste o no puedas controlar. Siéntete orgullosa por todo lo que aportas tú de un modo directo y personal. Ni en el trabajo ni en casa podrás controlar todo lo que pasa, así que no tiene sentido cargar con la culpa de todo.

Tus valores personales

Los valores son la raíz de tu seguridad, tu termómetro emocional. De ellos dependen las decisiones, prioridades y acciones más importantes de tu vida. Puesto que el tiempo, las fuerzas y el dinero son recursos limitados, las madres trabajadoras se ven obligadas a tomar decisiones sobre cómo emplear dichos recursos día tras día. Si tus decisiones son consecuentes con tus valores, te sentirás en paz; en cambio, si no lo son, te sentirás destrozada y culpable. No olvides que sentirse culpable produce estrés, y el estrés puede socavar la eficacia de tu trabajo, es decir, dificulta tu tarea tanto en casa como en el trabajo.

Vuelve a pensar en Claudia. Hasta que ella y su marido no decidieron acudir al consejero matrimonial, ella se sentía atormentada por el conflicto que suponía ocuparse constantemente de la casa y el trabajo; y hasta que no se paró a pensar en sus prioridades como madre y profesional, no fue capaz de tomar la decisión de ir más despacio en su carrera para poder dedicar más tiempo a su familia. Cuando por fin decidió hablar con su jefe, llegaron a un acuerdo y su nivel de felicidad alcanzó las estrellas.

Muchas veces, aunque hayamos hecho un buen trabajo, las madres no nos sentimos felices porque habíamos puesto el listón demasiado alto. Tampoco olvides que la «supermamá» no existe. Un buen trabajo no tiene por qué ser un trabajo perfecto. Todas corremos peligro de exigirnos demasiado, y si lo hacemos, no seremos capaces de sentirnos bien gracias a nuestras habilidades, aptitudes y destrezas, ¡puesto que ni siquiera llegaremos a verlas! No pasa nada por que nos vayamos a dormir con los platos sucios en el fregadero de la cocina o por que los niños vayan al colegio sin un conjunto perfecto o de última moda; como tampoco pasa nada por que no hayamos sido «la empleada del mes» a pesar de haber hecho un buen trabajo. Tienes que aprender a tratarte a ti misma como tratarías a tu mejor amiga: con cariño, tolerancia y generosidad. Reconoce lo que haces bien y te sentirás más feliz por los resultados.

Ser madre no es una competición

Todas esperamos que nuestros hijos crezcan seguros de sí mismos y se conviertan en personas amables y respetuosas. Ahí radica buena parte del éxito de una madre. Sin embargo, en el mundo competitivo en que vivimos, podemos perder de vista nuestras prioridades, y hacernos cargo de nuestras familias puede llegar a convertirse en una competición. Quién ha dado antes sus primeros pasos, quién es el mejor de la clase, qué niño es la estrella del kárate o del equipo de fútbol o baloncesto de la escuela, quién es el más popular, quién participa en más actividades extraescolares, quién habla más idiomas. Al final, tus hijos pueden terminar por sentirse tristes o resentidos, porque participan en actividades que no les gustan. Tal vez incluso te haya pasado a ti cuando eras pequeña. Cuando se trate de tus hijos, y de tu propia vida, intenta aplacar las voces de quienes creen que ser madre es una competición.

Pon toda tu atención y siéntete orgullosa de lo guapo que es tu hijo y de lo que hace. A partir de entonces cambiarán tus prioridades. Tus hijos harán deporte, aprenderán a tocar algún instrumento o se dedicarán a cualquier otra cosa porque les gusta, y no porque se sientan obligados a hacerlo. Su éxito en la escuela se medirá en función de su esfuerzo, y no por las notas que saquen. Tal vez tengas que seguir animándoles para que estudien o lean más y pasen menos tiempo con los videojuegos, pero les estarás enseñando a ser quienes son, y no como a otros les gustaría que fueran.

Y: *Young at heart.* Joven de corazón

Un corazón joven es alegre y no se entristece ni se siente arrastrado por constantes oleadas de pesimismo y negatividad. Independientemente de la edad que tengas, siempre tienes la posibilidad de sentirte joven de corazón, sustituyendo los pensamientos negativos por los positivos.

El Institute of HeartMath (que mencionamos anteriormente) ha demostrado que las personas pueden mejorar su estado de salud centrándose conscientemente en los pensamientos de amor y gratitud. Tras casi veinte años de investigación, ha demostrado que cuando una persona experimenta los sentimientos de compasión, aprecio, cariño y amor, su corazón late con un ritmo cardíaco ordenado y armónico. Y, cuando esto ocurre, el cuerpo produce más DHEA, la hormona de la vitalidad que combate el

119

envejecimiento. Por el contrario, cuando una persona se siente frustrada, irritada o agobiada, el corazón se acelera y adopta un ritmo desordenado y caótico. En este caso, el cuerpo produce más cortisol, la hormona del estrés, que se ha asociado a la diabetes, la depresión, el agotamiento y muchas otras enfermedades crónicas.

Sería ingenuo pensar que las cosas siempre marchan sobre ruedas. Por supuesto que no. Nadie puede sentirse feliz las veinticuatro horas del día. Ser joven de corazón significa optar por el enfoque positivo de la vida siempre que sea posible, ser optimistas y esperar lo mejor, en vez de temer que todo salga mal. Pero, para conseguirlo, también hay que perdonar. Guardar rencor crea una oleada de energía negativa en el cuerpo, que se resiente. Guardar rencor es como beber veneno y esperar que la otra persona enferme. Deja que la rabia pase y se vaya. Aprecia a las personas que te quieren, te apoyan y te transmiten energía positiva.

Pausa de *coaching* personal: el perdón y lo perdonable

Todos los días pasan cosas desagradables. La gente te puede insultar, decepcionar o herir. Tú no puedes controlar el mal comportamiento ajeno, pero sí tus reacciones.

Puedes enfadarte y guardarles rencor, o puedes optar por el enfoque positivo. Si es importante y puedes hacer que las cosas cambien, a por ello. Si no, déjalo pasar. La rabia y el resentimiento te roban gran cantidad de energía que podrías usar de un modo mucho más productivo, como aprender de lo ocurrido, apreciarte a ti misma y a los demás, e incluso curarte de alguna enfermedad. Las respuestas biológicas a la cólera y el estrés están bien documentadas, y actualmente se están estudiando los beneficios del perdón. En cualquier caso, todos sabemos que el perdón conlleva el bienestar espiritual, que a su vez influye en el buen estado de salud.

TÓMATE UNOS MINUTOS PARA CONTESTAR LAS SIGUIENTES PREGUNTAS Y ANALIZA TUS RESPUESTAS

Acción

Imagina que, durante una discusión, le has dicho algo cruel a una amiga. ¿Cómo te sentirías cuando te dieras cuenta de que le has hecho daño? ¿Qué estarías dispuesta a hacer para remediarlo? ¿Cómo te sentirías contigo misma y con la persona a la que has herido?

Reacción

Imagina que tu amiga sigue enfadada contigo unos días, pero que después te perdona. ¿Cómo te sentirías cuando lo hiciera?

Revisión

¿Cómo demuestras tú el perdón? ¿Cómo reconoces el perdón de los demás? ¿Cómo reconocen los demás tu perdón?

(continúa)

Acción

Imagínate que alguien te ofende intencionadamente. Por ejemplo, que un compañero de trabajo hace correr un rumor sobre ti que perjudica tu reputación ante los demás compañeros. ¿Te sentirías enfadada y dolida? Concéntrate en esa rabia. ¿Cómo te sientes? ¿Te late más rápido el corazón? ¿Notas cómo te sube la tensión?

Ahora, perdona a esa persona. Deja pasar la rabia, aunque sólo sea por un momento. Imagínatela como una bola de nieve que se derrite. Respira profundamente mientras se escapa el resentimiento. Tú sigues teniendo razón y ella no, pero has elegido el perdón.

Revisión

¿Cómo te sientes ahora que la has perdonado? ¿El corazón te late más despacio? ¿Te sientes más relajada y ligera? ¿Te sientes mejor al perdonar o al estar enfadada y resentida?

Reflexión

Si haces un esfuerzo consciente por perdonar, mejorarán tu salud, tu felicidad y tu relación con los demás, como persona, como madre y como trabajadora.

Demuestra tu agradecimiento todos los días. Puede ser un simple «gracias», una nota o un abrazo. No cuesta nada, pero ¡te ayudará muchísimo!

Ser joven de corazón implica descubrir la alegría de

las cosas más sencillas de la vida. Unas vacaciones en un hotel de lujo te puede proporcionar gran alegría, pero no te puedes limitar a ser feliz dos semanas al año.

Disfruta de una buena taza de café por las mañanas, del suave aroma del cabello de tu hija cuando le das el beso de buenas noches y de la historia que le lees a tu hijo para que se quede dormido. La felicidad está en cada pequeño detalle de la vida, sólo tienes que aprender a reconocerla.

Consejo para la felicidad: aprende a perdonarte a ti misma y a los demás.

Balance final: ejercicios

CREA UN MES FELIZ CON EL MÉTODO
H. A. P. P. Y.

Pon la felicidad en tu lista de cosas por hacer. Literalmente. Resérvate un tiempo para las cosas que te ayudarán a sentirte mejor. Aquí tienes algunas ideas, aunque tú ya sabes qué es lo que te hace más feliz:

- Apúntate al gimnasio o a un curso de yoga, y acude a las clases con regularidad.

(continúa)

- Queda con tus amigas para salir a dar un paseo.
- Haz ejercicios de meditación quince minutos al día. Si no tienes tiempo, divídelos en cinco minutos antes de levantarte por la mañana, cinco minutos a la hora de comer y cinco minutos por la noche.
- Perdona a alguien que te haya hecho daño.
- Haz una lista de tus valores y prioridades.
- Habla con alguien que te transmita energía positiva.

Técnicas de relajación

Aprender a relajarse es fundamental para las madres trabajadoras. La relajación no tiene por qué ser cara ni robarte mucho tiempo, pero es una fuente incalculable de felicidad. Algunos métodos son:

- Silencio
  - Aprovecha cuando vas en coche al trabajo.
  - Ponte unos auriculares, en silencio, cuando estés en casa.
  - Escucha los sonidos de la naturaleza y música alegre o suave en tu iPod o lector de MP3.

- Lectura

  - Ve a una librería o a una biblioteca.
  - Coge un libro que te guste y ve a tomarte una taza de café o té en alguna cafetería.
  - Apúntate a un club de lectura, o crea uno.

- Películas

  - Confecciona una lista de las películas que más te gusten y compártela con tus amigos.

- Música

  - Busca una música que te guste y súbela a tu lector de MP3.
  - Escúchala mientras das un paseo, cuando salgas de trabajar o en algún descanso. Escucha música que te ponga de buen humor.

- Teatro

  - Ve al teatro o asiste a cualquier otro evento cultural.

- Deporte/ejercicio

  - Yoga
  - Pilates
  - Defensa personal
  - Un paseo con amigos

(continúa)

- Bicicleta estática
- Clases de relajación
- Estiramientos
- Caminar, que se puede hacer en cualquier parte y a cualquier hora del día.

• Tómate una copa o sal a cenar con amigos.

• Vete de compras, sola, con la familia o con amigos.

MUCHAS VOCES

Si aceptamos que el 50% de nuestra felicidad está determinada por la predisposición natural y que el otro 50% depende de nosotras, este ejercicio te enseñará a entrenarte para tomar las decisiones que te hagan más feliz. Tomar buenas decisiones es fundamental cuando las circunstancias (C) se ponen difíciles. El *coaching* personal te ayudará a ser más feliz al enseñarte a tomar las decisiones que resulten más adecuadas para ti.

De pequeñas, crecemos rodeadas de muchas voces distintas. Unas son positivas, y otras no. Por ejemplo, era positivo cuando nuestras madres nos decían lo guapas o listas que éramos; pero era negativo cuando nuestros hermanos nos decían que teníamos que obedecerles porque ellos eran mayores, o nosotras mismas dudábamos («no puedo», «no les caigo bien»).

Otra voz que nos acompaña toda la vida es la de la sociedad, que nos dice que la felicidad está en el matrimonio y en los hijos. Por otra parte, el movimiento feminista empezó a afirmar que las mujeres podemos tenerlo todo. No sé si os acordaréis de los anuncios en los que, invariablemente, aparecía una supermamá que siempre sabía lo que querían su marido y sus hijos...

Lo que tenemos que hacer es escuchar atentamente todas las voces que oímos para darnos cuenta de cuáles nos ayudan y cuáles no.

Puesto que todas somos nuestras propias tutoras de *coaching* personal, tenemos que identificar qué voces resuenan con más fuerza en nuestro interior.

Este ejercicio te ayudará a acallar las voces que se interponen en tu camino hacia la felicidad.

Al lado de cada una de las siguientes opciones, pon una cruz en la columna P si te parece positiva o una cruz en la columna N si te parece negativa. De este modo aprenderás a percibir inmediatamente el efecto que tienen sobre ti.

(continúa)

	N	P
Madre	———	———
Padre	———	———
Padrastros	———	———
Abuelos	———	———
Hermanos	———	———
Amigos	———	———
Profesores	———	———
Mentores	———	———
Tutores	———	———
Consejeros	———	———
Otros (televisión, películas, sociedad)	———	———

Una vez que hayas identificado el impacto que estas voces tienen sobre ti, hazte las siguientes preguntas sobre cada una de ellas:

- ¿Deberías hacerle caso?
- ¿Cuándo o en qué circunstancias tienen importancia?
- ¿Qué tienes que hacer para eliminar las voces que te hacen daño y cómo guardas y pones en práctica las voces que te animan a desear el éxito y el bienestar?

En cuanto hayas aprendido a identificarlas, podrás empezar a crear toda una lista de tutores de *coaching* personal que te motivarán para el éxito.

Crear nuevas voces y tutores de *coaching* personal

Saber elegir las voces positivas (P) y desarrollar el *coaching* personal es un regalo de valor incalculable.

Te proponemos cinco pasos para crear un grupo de tutores de *coaching* personal que ya conozcas y en los que probablemente confíes:

1. Haz una nueva lista de voces que te provoquen una emoción positiva. Tal vez las oigas a la hora de tomar una decisión, de intentar algo nuevo o de planificar tus actividades u objetivos diarios. Puede que te orienten con la salud, el cuidado de los hijos o las decisiones personales y profesionales.

2. Crea una lista nueva pensando en los acontecimientos o relaciones más recientes.

	N	P
Pareja	___	___
Socios	___	___
Compañeros de trabajo	___	___
Amigos	___	___
Niñera / Canguro	___	___
Servicio doméstico	___	___

(continúa)

	N	P
Médicos	‾‾‾‾‾	‾‾‾‾‾
Instructores	‾‾‾‾‾	‾‾‾‾‾
Televisión	‾‾‾‾‾	‾‾‾‾‾
Mentores	‾‾‾‾‾	‾‾‾‾‾
Tutores de *coaching*	‾‾‾‾‾	‾‾‾‾‾
Revistas	‾‾‾‾‾	‾‾‾‾‾
Otros	‾‾‾‾‾	‾‾‾‾‾

3. Reflexiona sobre sus palabras y sobre cómo afectan a tus emociones y habilidades de éxito.

4. Determina si son una influencia positiva (P) o negativa (N).

5. Haz una relación de las voces positivas que tengan más efecto sobre ti. Convéncete de que éstas son las voces que has de escuchar; por lo que se refiere a las demás, tendrás que analizarlas y evaluarlas cuidadosamente.

El primer paso es reconocer que puedes decidir pasar más o menos tiempo con estos tutores de *coaching* personal e invertir en ellos. Tomar tu decisión es el siguiente paso.

Capítulo 4

El sentimiento de culpa, ¿para qué sirve?

Ser madre es un entrenamiento para el liderazgo tan eficaz
como trabajar en Goldman Sachs.
—Dee Dee Myers, escritora y secretaria de
prensa del ex presidente Bill Clinton

El sentimiento de culpa es enemigo de la felicidad, pero es un sentimiento que todas las madres trabajadoras comparten. En el trabajo, una madre se siente culpable por no pasar más tiempo con su familia; y en casa, el sentimiento de culpa se centra en el trabajo. La culpa mina y obstaculiza la felicidad de muchas madres trabajadoras:

- Me siento culpable por dejar a mi hijo en la guardería.
- Me siento culpable al salir del trabajo para ir a recoger a mi hijo cuando se pone enfermo.
- Me siento culpable por pedirle a mi marido o pareja que lo haga... (sea lo que sea).
- Me siento culpable cuando me tomo un día libre para ocuparme de mis asuntos.

- Me siento culpable cuando me pongo enferma y no voy a trabajar, sabiendo que ese día podría haberlo dejado para cuando el niño se ponga malo.
- Me siento culpable por no vivir a la altura de mis compañeras (madres o ejecutivas).
- Me siento culpable por no tener más tiempo para mi marido o pareja.
- Me siento culpable por mi tiempo libre, aunque lo haya calculado en mi horario.
- ¡Me siento culpable por todo!

Si el sentimiento de culpa no viene de nosotras mismas, la sociedad se encargará de transmitírnoslo. Pese a todos los avances tecnológicos de la sociedad en general, el punto de vista tradicional de «la mujer que se queda en casa con los niños todo el día mientras el padre trabaja» no ha cambiado ni un ápice. Las expectativas sociales ponen a las madres ante un camino constelado de profundos baches cargados de sentimiento de culpa que, además, puede girar repentinamente en cualquier bifurcación. Algunas madres pueden optar por abandonar su trabajo, otras pueden aplazar o renunciar a su carrera para pasar más tiempo en casa, y otras puede que sigan adelante a pesar de todos los inconvenientes que vayan surgiendo en su camino.

Yaarit Silverstone, madre trabajadora desde hace muchos años, recuerda lo angustiada que se sentía cuando su hija mayor (que ahora tiene 15 años) era pequeña. El trabajo de Yaarit la obligaba a viajar muchísimo. Un día que había ido a recoger a su hija al colegio, una maestra le dijo: «Su hija es muy equilibrada, a pesar del modo en que usted la trata, ¡porque las madres de verdad meten a sus hijos en la cama todos los días!». Destrozada por ese comentario, y muchos otros por el estilo, Silverstone pensó en buscarse un trabajo en una empresa local para no tener que viajar tanto. Y lo encontró, pero no lo aceptó, puesto que se dio cuenta de que la idea de tener que desempeñar un trabajo que no la entusiasmaba y desafiaba lo suficiente le habría robado la felicidad... y sabía que su felicidad era muy importante para su familia y para su trabajo. Así pues, se quedó con el puesto que le proporcionaba una gran satisfacción profesional, aunque éste la obligara a viajar más de lo que le habría gustado en aquel momento. Hoy, Silverstone es la directora del Departamento de Eficacia Organizativa de Accenture, y es una madre trabajadora y feliz.

Como directora afroamericana, que tuvo que afrontar problemas raciales y de género en su trabajo, dijo: «Lo que de verdad me habría gustado que alguien me dijera es que ser una madre trabajadora no es nada malo. Superar el sentimiento de culpa, por ser madre y luchar por mi carrera, ha sido una batalla que he tenido que afrontar durante toda mi vida».

Consejo para la felicidad: la felicidad surge del perfecto equilibrio entre los ingredientes de la vida: trabajo, tiempo con los amigos y seres queridos, ejercicio, diversión e incluso soledad. Si te saltas uno de ellos, la receta será un fracaso.

Si de verdad quieres deshacerte de tu sentimiento de culpa de una vez por todas, tienes que entender, como hizo Silverstone, que tu felicidad es importante para tu familia y que llevar a cabo un trabajo que te satisfaga es un componente esencial de tu felicidad. Tienes que aprender a descubrir la alegría y la belleza de tu vida, a abrazar la mentalidad positiva, de la que hablamos en el capítulo 1, y a reconocer el mérito de todo lo que haces día tras día. Vive de los logros de tus hijos, de tus éxitos y de tus sueños, sin importar cuáles sean. Desecha el sentimiento de culpa para poder crecer.

El autor del delito

El diccionario define *culpa* como el «reconocimiento de un delito que motiva la responsabilidad civil o penal». Como madre trabajadora, no estás cometiendo ningún delito por sentirte satisfecha con tu trabajo o por procurar un apoyo económico a tu familia. Como tampoco estás violando la ley por tener un trabajo que te obligue a estar lejos de tu familia cinco días a la semana. Pero si esto es algo que todos sabemos, ¿por qué las madres trabajadoras se sienten culpables, independientemente de lo que hagan? Alice, de 31 años y madre de dos hijos, dice que su remordimiento viene de las expectativas que no logra alcanzar, de la falta de apoyo, de los estereotipos de la familia y los amigos, y de las convenciones sociales.

Ellyn, de 45 años y madre de tres hijos, también se siente culpable, sobre todo cuando está de viaje de negocios y su hija pequeña le dice: «Te echo de menos, mamá». «Se me rompe el corazón —dice Ellyn. Pero su hija mayor y su marido la apoyan; saben muy bien lo importante que es su trabajo para ella, y a su hija mayor incluso le gustaría llegar a trabajar en lo mismo que ella algún día—. Una de las cosas que hago para combatir el sentimiento de culpa es escribir un diario para los niños. Se lo daré cuando sean mayores. De este modo puedo decidir qué contarles ahora sobre mi trabajo y mis sentimientos, y qué les contaré después».

Recuerda: todos podemos elegir. Aunque a veces no seamos conscientes de ello, la verdad es que cada uno decide cómo organizar su tiempo y sus esfuerzos.

«Todos contamos con una cantidad concreta de fuerzas, tiempo y recursos —dice Renée Trudeau, autora de *The Mother's Guide to Self-Renewal: How to Reclaim, Rejuvenate and Rebalance Your Life* (Balanced Living Press, 2008)—. Muchos malgastan sus energías en largas e insatisfactorias conversaciones telefónicas que a veces ni siquiera son necesarias; pierden el tiempo con correos electrónicos, navegando por Internet o viendo la televisión; toleran un nivel de desorden que después le hace perder mucho tiempo buscando lo que necesitan; o asisten a reuniones o eventos de voluntariado que no les gustan, pero consideran inevitables. Y todo ello sin darse cuenta de que estas actividades los agotan, y les privan de gran cantidad de energía que podrían invertir en otras cosas». Si organizas tu tiempo de acuerdo con tus valores, podrás dedicar menos tiempo a las cosas de menos valor y mucho más a las que de verdad son importantes para ti.

Valerie, ingeniera y madre de tres hijos, solía presentarse como voluntaria para organizar actividades dirigidas a recaudar fondos para la escuela de sus hijos. De este modo, quería demostrar a los demás padres y a sus propios hijos que se interesaba por las actividades de la escuela. Pero, en realidad, lo único que estaba consiguiendo era pasar muchas horas trabajando sola o convenciendo a los demás padres a participar mientras sus hijos se quejaban de que nunca jugaba con ellos. «Aunque siga asistiendo a las actividades —dice Valerie—, desde que no me encargo de la organización de la recaudación de fondos, estoy mucho más contenta. Ahora tengo más tiempo libre para jugar con mis hijos o para ayudarles a hacer los deberes, que es lo que ellos y yo queremos».

El valor (monetario) de una madre

Desde el punto de vista económico, las madres trabajadoras valen su peso en oro. Imagínate lo que puede valer todo lo que haces en casa. Según Salary.com,[1] en 2009 dicho valor monetario, proyectado como salario, fue de $122.700, unos 54.000 €, para las amas de casa y cerca de $76.200, unos 87.000 €, para las madres trabajadoras.

El sueldo de las madres trabajadoras

Descubre tu salario de madre con la ayuda de Salary. com:

http://swz.salary.com/momsalarywizard/htmls/ mswl_momcenter.html

---

En 2009, aparte de su trabajo de jornada completa, una madre trabajadora dedicaba una media de 17 horas a la semana al trabajo y a la casa, cifra que representa el doble que hace dos años. Los resultados de la encuesta de Salary.com muestran que las madres trabajadoras dedican más de 92 horas a la semana entre el trabajo a jornada completa, las labores de la casa y las «horas extra» como madres. La encuesta muestra, asimismo, que las amas de casa dedican unas 96 horas al trabajo semanal, con una media de 56 «horas extra».

Salary.com ha seguido las compensaciones de las madres desde el año 2000.

«Comenzamos definiendo lo que hace una madre y estableciendo a qué tipo de trabajo correspondería. Entrevistamos a todo tipo de madres para determinar cuáles eran las funciones más frecuentes y descubrimos que el trabajo de una madre es una mezcla de diez trabajos distintos (cada uno con un salario diferente). Los tipos de trabajo que describían mejor las tareas habituales de una madre (ordenados en función del número de horas que se le dedican por semana) son: servicio doméstico, maestra, cocinera, lavandera, operadora informática, psicóloga, responsable de gestión, conductora, directora ejecutiva y portera», afirmó Salary.com al publicar los resultados del año pasado. La diferencia del salario entre un ama de casa y una madre trabajadora se ha calculado en función de las horas que cada una dedica al trabajo de «madre». Ya seas la fuente de ingresos principal de tu familia o no, el salario de «madre» no incluye el dinero que ganes por tu trabajo fuera de casa.

El sentimiento de culpa supone una pérdida de energía.
Yo quiero encontrar una buena relación entre mis energías y mis
valores, y el sentimiento de culpa no está en mi lista de valores.

—Barret Avigdor

«La capacidad de liderazgo es una valiosa cualidad que adquieren las madres en su trabajo», dice Dee Dee Myers, escritora y secretaria de prensa del ex presidente Bill Clinton. Como también fue un objetivo político para Sarah Palin, que en 2008 se presentó como candidata a la vicepresidencia de Estados Unidos por el partido republicano.

Cuando Nancy Pelosi se convirtió en la primera mujer presidenta de la Cámara de Representantes de Estados Unidos, un periodista quiso saber cómo pretendía ocuparse de un cargo tan difícil. «¿Bromea? —le contestó—. Ser la portavoz de la Casa Blanca no puede ser más difícil que criar a cinco hijos».

En su libro *Mom-in-Chief: How Wisdom from the Workplace Can Save Your Familiy from Chaos* (John Wiley & Sons, 2009), la escritora Jamie Woolf describe a las madres como «líderes transformacionales», pues ellas son las encargadas de guiar a otros para que lleguen a cumplir sus más elevadas aspiraciones.

No es de extrañar que la mayoría de las mujeres que entrevistamos nos dijeran que su tarea como madres las hacía mejores en sus trabajos: más eficaces a la hora de saber escuchar y más abiertas a nuevas perspectivas. Al mismo tiempo, más del 95% de las madres trabajadoras dijeron que eran mejores madres de lo que habrían sido si hubieran dejado sus trabajos. La razón principal —alegan las madres— es la satisfacción que les proporciona el trabajo.

Alice, maestra y madre de dos hijos, lo dice aún más claro: «Lo que más me gusta es ser madre, pero trabajo porque eso me ayuda a ser una madre mejor».

Viene de nuestro interior

Las madres trabajadoras perpetuamos nuestro sentimiento de culpa al pensar que estamos defraudando a nuestros hijos, a nuestra pareja y a nuestros compañeros de trabajo. Al tener que repartir nuestro tiempo entre el trabajo y la familia, tenemos la impresión de que los estamos engañando a los dos. Pero, en cuanto aprendamos a vencer esta sensación de incompetencia, que además de extenuante es completamente inútil, la paz y la alegría embargarán nuestras vidas y la infinita fuente de energía que de ello se deriva se pondrá al servicio de lo que amamos de verdad. En ese momento nos convertiremos en mejores madres, lo cual nos llevará al éxito en nuestro trabajo, y viceversa.

> *Es difícil sentirse mal contigo misma cuando la vida te sonríe.*
> —Benita Fitzgerald Mosley, primera mujer
> medallista de oro olímpico (1984)
> y presidenta de Women in Cable Telecommunications

A la mayoría de las madres trabajadoras con las que hablamos les encantaría tener a su disposición más tiempo para estar con sus hijos, un horario laboral más flexible y más horas para dedicarse a sí mismas y a sus relaciones con los demás. No obstante, aunque todas estas condiciones se cumplan, jamás llegarás a ser feliz si no desechas tu sentimiento de culpa. Tú puedes hacerlo; es factible e increíblemente liberador para la mente, el corazón, el cuerpo y el alma.

Historia de una madre

Las madres obtienen muchos beneficios de su trabajo. He aquí algunos de los que mencionaron las madres entrevistadas:

- Alice, madre de tres hijos: «Gracias al trabajo, doy más importancia al tiempo que paso con mis hijos. El resentimiento de cuando no trabajaba ha desaparecido».
- Tricia, madre de tres hijos, dos de ellos fruto de un matrimonio anterior: «Ser madre te dota de toda una serie de vínculos que te relacionan con los demás».
- Gina, divorciada y madre de dos hijos: «Aprendes a delegar sin sentirte culpable por ello».
- Mel, que tiene que cuidar sola de su único hijo: «Si te quedas en casa, pierdes el ritmo de la vida».
- María, madre de dos hijos: «He tenido que aprender a expresar claramente mis expectativas. También he aprendido a tener más paciencia y a reconocer las capacidades y los límites de los demás. Cada persona es un mundo».

Para empezar a desechar el sentimiento de culpa, vuelve a pensar en todo lo que eres capaz de hacer durante el día como trabajadora y como madre. Sé razonable con tus expectativas y asegúrate de poner lo más importante como primer objetivo de la lista. Si lo más importante para ti es cuidar de tus clientes, ponlo delante. Si pasar más tiempo con tus hijos después del trabajo y hacer un poco de ejercicio te parecen dos cosas importantes, a lo mejor podrías salir a dar una vuelta en bicicleta con ellos cuando vuelvas a casa. Al establecer una lista de prioridades, tal vez te des cuenta de que no puedes hacerlo todo. Si para ti es muy importante ayudar a tus hijos a hacer los deberes, quizá no te dé tiempo de preparar ese plato tan elaborado que te gustaría cocinar para la cena. Si la atención al cliente es tu prioridad en el trabajo, lo más seguro es que no puedas convertirte en el mentor de los más jóvenes de tu equipo. Pero, cuando consigas armonizar tus expectativas y tus valores (no los valores de los demás), te sentirás mucho más consecuente y tranquila. Esto es evidente para cualquier madre trabajadora.

Sin ningún sentimiento de culpa por su parte, June, de 70 años, ha decidido dejar de cocinar, limpiar y conducir, y declarar así el fin de su «maternidad trabajadora».

«Rechaza el sentimiento de culpa —dice un grupo de madres trabajadoras de Buenos Aires—. Disfruta de tus hijos y de tu trabajo, ¡y dile a tu marido o a tu pareja que debería estar orgulloso de ti por ser una madre trabajadora!».

¿Te acuerdas de Claudia, del capítulo 3? Se sentía fracasada en casa y en el trabajo y su matrimonio se estaba yendo a pique, hasta que por fin aprendió a aceptarse a sí misma, a pedir ayuda, a reorganizar sus prioridades y a tener un mayor control de su tiempo. Dejó de echarse la culpa por todo y se agarró a sus valores como madre y profesional de carrera. Se dio cuenta de que tenía que tomar un camino más largo hasta convertirse en una socia de su empresa para poder pasar más tiempo con su familia y liberarse de las tensiones que le provocaban sus constantes viajes de negocios. Decidió convertirse en una madre trabajadora y feliz, aunque esto conllevara un reajuste de sus expectativas como profesional.

Nuestra meta como padres es captar todo el potencial de nuestros hijos. En el trabajo, nuestro objetivo es captar todo el potencial de nuestros empleados.
—Jamie Woolf, autora de
Mom-in-Chief: How Wisdom from the Workplace Can Save Your Familiy from Chaos (John Wiley & Sons, 2009)

Cuestión de prioridades

Cuando Claudia se percató de la importancia de sus valores y prioridades, descubrió que vivir de acuerdo con ellos es el camino hacia la felicidad. Tuvo que hacer algunas concesiones; pero, ahora que es consecuente con sus valores, se siente mucho mejor. Como todas las madres trabajadoras deberían hacer, Claudia se dio cuenta de que el sentimiento de culpa no sirve absolutamente para nada, si no es para perpetuar la infelicidad.

Así que deja de sentirte culpable (no tienes ningún motivo para ello), sé tolerante contigo misma y descubre la alegría de tu familia, del trabajo y de la vida.

Historia de una madre

Christiane Amanpour, corresponsal de guerra de la CNN Internacional de Nueva York, es una madre trabajadora que se ha encargado de retransmitir las mayores crisis y conflictos del planeta. El 5 de mayo de 2007 dio una conferencia en la Escuela de Dirección de Empresas Simmons (Boston) sobre su carrera y el impacto que el nacimiento de su primer hijo tuvo en sus viajes a zonas de alto riesgo. Amanpour reconoció que dejarse guiar por sus convencimientos tanto en casa como en el trabajo resultó vital para su felicidad como madre y como reportera. Así pues, estableció conscientemente sus prioridades y motivaciones en ambos aspectos de su vida.

Trabajar como corresponsal en zonas en guerra no es más que una parte de su vida. Como mujer nacida en Oriente Medio, tiene unas fuertes convicciones en lo que a libertad y derechos humanos se refiere. Cuando se casó, su marido y ella se mantuvieron fieles a su compromiso de informar honesta y abiertamente a través de la prensa sobre la grave situación en que algunas personas se encuentran al tener que luchar por su libertad.

Al nacer su hijo, volvió a plantearse los riesgos que corría acudiendo a zonas en guerra y países en conflicto. Sin embargo, tanto ella como su marido sabían que su trabajo era esencial para su felicidad como madre y como profesional. Amanpour sabía que su trabajo era

(continúa)

un elemento imprescindible, que la definía como persona, y que tenía que encontrar el modo de hacer encajar su papel como madre en ese mundo.

El apoyo de su marido ha sido fundamental para su trabajo y para su familia.

Tus prioridades

Ahora te toca a ti. Lo primero que tienes que hacer es pararte a pensar en cuáles son las prioridades de tu vida. Deja de lado los apabullamientos y los agobios por unos instantes, y piensa en un momento de tu vida en que te sentías dueña de tu tiempo. ¿Qué esperabas de ti misma y de la vida? ¿Lograste lo que te habías propuesto? Si la respuesta es afirmativa, ¿cómo te sentiste? ¿Cómo estaba tu autoestima? Y si no lo lograste, ¿por qué fue? ¿Era algo realista y coherente con lo que de verdad valoras en la vida?

Pausa de _coaching_ personal: lo que importa en la vida

Para determinar cuáles son tus valores, tómate unos minutos y responde con total sinceridad a las siguientes preguntas:

- ¿Qué valor das al dinero?
  - ¿Para qué te sirve?

- ¿Qué valor das a la gente que forma parte de tu vida?
  - ¿Quiénes son importantes para ti y por qué?
- ¿Qué valor das a las cosas?
  - ¿Cuáles son las cosas más importantes para ti y por qué?
- ¿En qué empleas lo que tienes?
- ¿Hasta qué punto te comparas con los demás?

Ahora pregúntate qué es lo que más aprecias de tu vida como madre, como mujer trabajadora y como persona, y haz una lista por orden de importancia. Puede que en algún momento de tu vida lo más importante fuera tener una casa perfecta y que ahora, como madre trabajadora, sea más importante que tus hijos se sientan a gusto jugando en casa, sin preocuparte por poner una mesa de ping-pong en el salón; o quizá atravieses un momento en que hacer carrera sea destacado para ti y todos los miembros de tu familia estén dispuestos a sacrificar lo que haga falta para conseguirlo. Aquí no hay respuestas correctas o incorrectas, tan sólo la respuesta más adecuada para ti.

Tu lista de valores y prioridades es como una fotografía de tu situación actual tomada con la debida perspectiva. Si no la pierdes de vista, serás capaz de individualizar la raíz de los conflictos que se te puedan presentar en tu doble papel de madre y trabajadora.

El siguiente paso es revisar las expectativas que tienes de ti misma y de quienes te rodean, tanto en casa como en el trabajo. Con esta nueva visión de las cosas, ya puedes empezar a reorganizar y reestructurar tus actividades cotidianas para que sean más coherentes con tus valores como madre y mujer trabajadora. En cuanto empieces a vivir conforme a tus verdaderos valores, el sentimiento de culpa desaparecerá. Y serás capaz de tomar las decisiones propias de la sensata, profunda y feliz madre trabajadora, y persona, que eres.

Feliz de verdad

Anabelle es una mujer muy respetada que, tras el divorcio, tuvo que criar sola a sus dos hijos. Ahora, uno tiene 19 años (está en la universidad) y el otro, 15. Ha trabajado y criado a sus hijos durante quince años en Filadelfia, es un modelo para muchas otras madres.

Ella misma reconoce que muchas veces tiene que esforzarse por controlar su ansiedad para que todo salga adelante. Pero antes tuvo que pararse a pensar en sus valores y se dio cuenta de lo importante que era el lugar en que vivieran y el trabajo que llevara a cabo para hacer que tanto su vida de madre divorciada como la de sus hijos fuera feliz.

«Después de todo, me ha ido bastante bien. Cuando los niños eran pequeños, solía acumular los días de permiso que podía coger por enfermedad para ocuparme de ellos. Pero luego, cuando me divorcié, me di cuenta de que ni todos los días de permiso del mundo bastarían. No tenía más remedio que enfrentarme a la realidad: tenía que criar a mis hijos yo sola. Lo primero que hice fue buscar una casa que estuviera más cerca del colegio, para que pudieran ir ellos solos andando. Me encantaba mi casa y no quería desarraigar a mis hijos, pero tenía que encontrar la forma de que llegaran al colegio puntuales sin que yo tuviera que pedir ayuda a su padre, ni a nadie más.

»También pensé que a veces tendrían que comer solos y que tendrían que hacer alguna actividad deportiva después del colegio, así que encontré una casa que estaba más lejos de mi trabajo de lo que me hubiera gustado, pero que nos podía ir bien. Y así fue.

»Los niños tenían que levantarse solos por la mañana y no tardaron en aprender que la primera sirena del patio del recreo, que estaba en la otra acera de la calle, era su despertador. Tenían cinco minutos para llegar a clase. Aunque al principio fue difícil, al final cogieron el ritmo (con un poco de práctica y alguna que otra llamada del colegio). Todos nos ayudaron muchísimo hasta que lo conseguimos.

»Mis hijos se volvieron más responsables al mudarnos, lo que me permitió aceptar un puesto mejor por el que me pagaban más, ya que tenía más responsabilidad, con más de cincuenta personas a mi cargo. Casi todas eran mujeres y me veían como un ejemplo de sus propias posibilidades y esperanzas.

»Yo fui la primera que tuvo ordenador en casa, e insistí mucho en que todos los miembros de nuestra plantilla pudieran tener uno. Nos costó, pero la empresa ha sido muy considerada con la gestión del tiempo de las madres trabajadoras; y los beneficios que se derivan de

(continúa)

ello, en lo personal y lo profesional, se ponen de manifiesto día tras día.

»Si no nos hubiéramos sabido adaptar como familia y yo no hubiera sido flexible con mi trabajo y mis decisiones, no se podría hablar de un final feliz».

«Todos podemos elegir —dice Sherry Brennan, de la cadena Fox—. A cada uno le corresponde tomar las decisiones que le llevarán hasta donde quiera llegar en la vida».

Por otra parte, las prioridades tampoco son inamovibles; van modificándose conforme una va envejeciendo y cambiando. Lo que una vez fue muy importante para ti puede que termine al final de la lista cuando tus hijos se hagan mayores, y tú también.

«Todos podemos elegir —coincide la autora Renée Trudeau—. Cuando eres un padre activo, con una vida ajetreada e hijos que necesitan buena parte de tus energías, tienes que ser muy juicioso a la hora de comprometerte a hacer algo que no esté en tu lista de prioridades».

Historia de una madre

Sherry Brennan, vicepresidenta de la sección Estrategias de Venta y Desarrollo de la cadena Fox, nos habla de cómo consigue armonizar las decisiones profesionales con sus valores personales.

«Al ser madre trabajadora he tenido que abandonar algunas aspiraciones, al menos por ahora, porque no quería tener que hacer horas extra o viajar más para ocupar puestos más importantes. Pero eso no significa que haya renunciado a un trabajo que me llena... ¡Ni pensarlo!

»Para mí, la clave está en entender cuál es el precio de tus aspiraciones, decidir qué es lo más importante para ti, e ir a por ello. Yo no quería apartarme de mi hijo el primer año, así que no volví a trabajar hasta que no cumplió los 15 meses... y como todavía no quiero tener que pasarme cuatro noches en la oficina, sigo sin presentarme a puestos que puedan requerirlo.

»A este respecto, las palabras "justo" e "injusto" carecen de significado para mí. No son más que una pérdida de tiempo y, si cayera en la trampa, saldría malparada. Lo cierto es que algunos trabajos requieren más tiempo y me obligan a viajar más. Para qué vamos a negarlo».

Ambiciones adecuadas

La ambición es una palabra traicionera. En algunos casos, puede ser fuente de gran satisfacción para ti, para tu familia y para quienes trabajen contigo, pero también te puede provocar un gran vacío interior. La sociedad espera que las madres renuncien o retrasen el logro de sus ambiciones por el bien de sus hijos y el de sus familias. Para algunas mujeres, éste es el mejor camino. Para otras, su cumplimiento está tan ligado a su felicidad que la renuncia o prórroga de sus ambiciones implican un aplazamiento de la felicidad.

La clave está en hacer que tus ambiciones se ajusten a tus valores. Para Sherry Brennan, eso significa avanzar más lentamente en el terreno profesional. Para Christiane Amanpour, significa seguir yendo adonde la vida la lleva. Pero las dos son madres trabajadoras y felices. Y tú también puedes serlo.

No importa el tipo de trabajo que hayas elegido; todas podemos sentirnos orgullosas de nuestras ambiciones. La mayoría de las mujeres trabajadoras no se sienten amenazadas por el éxito. De hecho, en la encuesta titulada *What Moms Want*, publicada por la *Working Mother Magazine* que mencionamos en el capítulo 1, el 62% de las mujeres se declararon «muy ambiciosas».

El trabajo llena cuando...

- Es una fuente de inspiración.
- Te implica y te hace sentir ligada a él.
- Te da la oportunidad de ser creativa.
- Requiere aprendizaje y crecimiento, y supone un reto para ti.
- Sintoniza con tu «gran plan».
- Cumple o supera sus objetivos.
- Proporciona una agradable interacción social y profesional.
- Te motiva.
- Prevalece la verdad.
- No le temes.

Diana, de 51 años, casada y con un hijo adolescente, nunca se ha sentido culpable por ser una madre trabajadora. De hecho, está convencida de que su trabajo le viene muy bien a su hijo porque, de este modo, aprende a ver que los hombres y las mujeres son iguales en cuanto a ambición y capacidad de realizar una buena carrera profesional. «Está orgulloso de que su madre sea abogada y profesora universitaria».

Kim Martin dice que a sus hijas (una de 13 años y otra de 10), cuando eran más pequeñas, no les gustaba que su madre se fuera a trabajar, porque la mayoría de las madres de los niños de su barrio no lo hacían. Martin, que tiene un máster en Administración de Empresas, es presidenta y directora general de WE TV. Y dice que ahora sus hijas insisten en que, cuando sean mayores, les gustaría tener hijos y trabajar. Les encantan las alfombras rojas de los estrenos y demás ventajas del trabajo de su madre. No hace mucho, la hija menor le dio una gran alegría al decirle que, de mayor, quería ocupar su puesto.

Sé hábil

El éxito es el objetivo de cualquier madre trabajadora. «Se necesita mucho más que talento y ganas de trabajar: hay que ser hábil», dice la conferenciante internacional, tutora de *coaching* y locutora Billi Lee, autora de *Savvy: Thirty Days to a Different Perspective*. «La perspicacia es la habilidad adquirida para responder y actuar con éxito en cualquier entorno», explica Lee en su página web.[2]

Para lograr un equilibrio más armonioso entre la casa y el trabajo, hay que tener en cuenta cuáles son las diferencias entre el ámbito profesional y el personal. Ser más hábil y perspicaz en tu trabajo no sólo te ayudará a tener éxito, sino que también reducirá la frustración que puedas sentir ante la política organizativa de tu empresa, al tiempo que te permitirá determinar las mejores estrategias y comportamientos para cada situación.

Siete hábiles consejos de Billi Lee de cara al éxito

1. **Ten perspectiva:** ¡No es más que un juego! La gente sensata reconoce que el trabajo no es más que un juego, por muy serio que sea. (¿De verdad será tan importante en tu lecho de muerte?). El trabajo tiene metas, obstáculos, reglas, equipos, jugadores, entrenadores, árbitros y formas de persuadir a los árbitros. Conoce las reglas, estudia a los jugadores, aprende los movimientos, entrénate y practica. Unas veces ganarás, y otras perderás. Juega lo mejor que puedas y luego vete a casa, que es lo que de verdad importa.

2. **Céntrate:** ¿Cuál es mi objetivo? ¿Qué precio estoy dispuesta a pagar? Establecer un objetivo es el primer paso para conseguir algo, pero el secreto es centrarse en él y descartar los demás. Antes de proponerte un objetivo, fíjate bien en la etiqueta del precio. Decide lo que quieres y lo que estás dispuesta a sacrificar para conseguirlo. Por desgracia, ¡nadie regala nada!

3. **Sé hábil:** Sé realista. Espabila. La perspicacia es una habilidad adquirida para responder y operar con éxito en cualquier entorno. Es la «desfachatez» que te permitirá vivir en el mundo tal y como es, y no como se supone que debería ser. Las personas desenvueltas son flexibles, capaces de adaptarse, de ver cómo son las personas y de leer entre líneas cada

vez que se presenta una situación nueva, y todo esto les permite responder con eficacia en todo momento... Responder con habilidad es responsabilidad.

4. **Haz trueque:** El éxito es un tipo de alianza estratégica. Puesto que necesitas la cooperación de los demás para alcanzar el éxito, la habilidad de influir sobre los demás es esencial. El trueque, el arte de concluir un negocio, también es el arte de la persuasión. «Te ayudaré si tú me ayudas a mí». Una negociación es el intercambio mutuamente beneficioso de bienes, servicios y favores. Regla de oro: «Trata a los demás como quieren ser tratados». Y cuando tú te beneficies de los demás, corresponde... devuélveles el favor.

5. **Relaciónate:** Crea una buena red de aliados. No te limites a la gente que mejor te caiga. Tu red de aliados ha de procurarte recursos, información, contactos, experiencia y consejo. Tus aliados pueden ser colaboradores temporales o socios de toda la vida. Incluso miembros de la competencia. Puede que no siempre sean personas que te agradan, pero serán personas que necesitas. Invierte tiempo, dinero y esfuerzo en tus relaciones con los demás.

6. **Sé flexible:** Piensa en el Cambio, con mayúsculas. La flexibilidad es la capacidad de sacar provecho a cualquier cambio del entorno. No tiene por qué gustarte lo que esté pasando; pero, si no lo puedes cambiar, aprovéchalo. Los dinosaurios no eran flexibles. Como tampoco lo son muchas personas. Insistir en que el mundo que te rodea no debería ser así no hará más que hundirte en un pozo sin fondo. Busca las oportunidades en cada cambio. Como

escasean, las personas flexibles siempre tendrán el futuro asegurado.

7. **Despersonaliza:** No te lo tomes a pecho. ¡La empresa no es tu familia! La empresa es una organización diseñada para lograr objetivos, no para cuidar de la gente. (Cuidar los recursos humanos no tiene nada que ver). La misión de la empresa es ganar dinero. Como la tuya. Piensa en ti como «Yo S. A.», una empresa conjunta con tu compañía y tus compañeros de trabajo. Tu jefe es tu cliente. Encárgate de tus negocios. ¡Y después vuelve a casa y sé muy personal!

Averigua tu cociente de perspicacia (S.Q., Savvy Quotient) en www.billilee.com y descubre cómo mejorarlo.

La realidad del trabajo

Todo esto suena muy bien... Ajustas tu vida a tus valores, optas por una visión positiva de las cosas y se acabó. Aunque todas sabemos que no es tan fácil. Da igual lo que se diga, la realidad del siglo XXI es que, a no ser que trabajes para una de las pocas empresas que se preocupan por el bienestar de las familias de sus empleados, vivir de acuerdo con tus valores te costará un gran esfuerzo. Y, aunque la política de la empresa ayude, los compañeros de trabajo tampoco suelen facilitar las cosas.

Pausa de _coaching_ personal: facilitar el logro de tus expectativas

Cuando los resultados no están a la altura de nuestras expectativas personales y profesionales, solemos sentirnos culpables; y ese sentimiento de culpa surge de uno de los muchos factores que pueden obstaculizar el éxito.

- **Recursos:** ¿Has pensado en un «plan B»? Como madre trabajadora, por ejemplo, ¿has pensado en alguien que se pueda ocupar de los niños, que los pueda llevar a las actividades extraescolares, de acampada o a hacer cualquier otra cosa? Y en el trabajo, ¿hay alguien que pueda sustituirte cuando tengas que salir porque uno de los niños ha enfermado?
- **Sistemas de apoyo:** ¿Te comparas con las amas de casa que se sienten más apoyadas por contar con un marido que las ayuda, por tener a la familia cerca, por disponer de un servicio de guardería de horario intensivo o porque pueden permitirse contratar a una niñera interna?
- **Pedir ayuda:** ¿Sabes reconocer cuándo necesitas ayuda y estás dispuesta a pedirla? Pedir ayuda no es síntoma de debilidad, ni tiene por qué preocuparte o hacerte sentir culpable. Lo más sensato es aprender a olvidar las dudas y los miedos, que sólo sirven para sentirse culpable y ahuyentar nuestra felicidad.

Renée Trudeau te ofrece algunos consejos para que puedas administrar mejor tu tiempo y tus energías:

- Has de ser capaz de decir que no. Practica hasta que te sientas cómoda. Proponte decirlo al menos una vez por semana cuando te pidan algo que no se ajuste a tus prioridades.
- Pide ayuda con frecuencia. Las personas de éxito, equilibradas y felices cuentan con grandes sistemas de apoyo. Empieza con pequeños favores. Conforme vayas pidiendo y recibiendo ayuda, te irá resultando más fácil.
- Plántale cara a los «debería...» cada vez que se te pasen por la cabeza, pues son una señal de peligro que indica que estás a punto de hacer algo no porque quieras hacerlo, sino porque te sientes obligada (o culpable si no lo haces). Párate a pensar: ¿cuáles son los verdaderos motivos que me animan a hacerlo?
- ¡Permítete cambiar de idea en cualquier momento!

La percepción personal en el trabajo

Cada mujer tiene sus propios talentos y habilidades, ya sea como madre o como trabajadora. Destacamos y nos sentimos orgullosas por ello. Aunque, en el trabajo, siempre hay quienes tardan más en apreciar nuestras aportaciones. Y esto puede limitarnos y afectar a nuestra competitividad.

Kimberly Rath, madre trabajadora y cofundadora de Talent Plus, una sociedad de servicios integrales en recursos humanos, pone en práctica la ciencia del talento para ayudar a las empresas y a los individuos a dar lo mejor de sí mismos. «El talento es una habilidad natural [...], es la capacidad que tiene cada persona para llevar a cabo un trabajo casi perfecto [...]. Nosotros sabemos que, cuando una persona se encuentra en el puesto de trabajo que le corresponde y desarrolla sus funciones de modo continuo, llega al máximo de sus capacidades. Este efecto acumulativo se convierte en la clave de la excelencia, el rendimiento sostenible y la competitividad», afirma Talent Plus.[3]

«Las mujeres tienden a infravalorar sus capacidades en el trabajo —dice Sally Helgesen, asesora de desarrollo del liderazgo, tutora de *coaching* y autora de varios libros, entre los que se encuentra *Abierto las 24 horas: Seis estrategias para navegar en el nuevo entorno profesional*—, mientras que los hombres tienden a sobrevalorar sus habilidades», añade Helgesen, después de analizar los datos multinacionales recogidos por el Washington Quality Group.[4]

Nuestros logros en el trabajo nos ayudan a sentirnos más orgullosas y satisfechas, por lo que se convierten en una nueva fuente de felicidad.

Balance final: ejercicios

PON NOMBRE A TUS MIEDOS

El miedo puede llevar a comportamientos que impidan la felicidad, pero si los nombramos y luchamos contra ellos, terminarán por desaparecer.

Realiza este ejercicio:

1. De la siguiente lista de miedos, marca aquellos con los que te sientas identificada:

(continúa)

- Miedo al fracaso
- Miedo a no ser una buena madre
- Miedo a no ser buena en mi trabajo
- Miedo a no ser una buena esposa
- Miedo a la pobreza
- Miedo a no ser capaz de aprender cosas nuevas
- Miedo a quedarme sola
- Miedo a tener demasiado éxito
- Miedo a tener demasiado poder
- Miedo a perder el control
- Miedo a echarme a llorar y no poder parar
- Miedo a _____.

2. Ante cada uno de tus miedos, hazte las siguientes preguntas:

- ¿Por qué me da miedo esto?
- ¿Me ha pasado alguna vez?
- Si me ha pasado, ¿cómo lo superé?
- Si no me ha pasado nunca, ¿hay una voz interior que me dice que he de temerlo?
- ¿De dónde sale esa voz y por qué no la hago desaparecer?
- ¿Qué es lo peor que me podría pasar? ¿Cómo puedo superar lo peor?
- Si mi mejor amiga me confesara uno de estos miedos, ¿qué le diría?

3. El miedo puede llevar a comportamientos que impidan la felicidad. Completa la siguiente frase marcan-

do la opción (u opciones) con la que te sientas más identificada.

Yo sería una madre trabajadora feliz si pudiera...

- ❑ Ser menos directa
- ❑ Ser más receptiva
- ❑ Ser menos impulsiva
- ❑ Ser capaz de definir mejor mis expectativas
- ❑ Ser más comprensiva
- ❑ Ser menos egocéntrica
- ❑ Tener menos miedos
- ❑ Ser menos crítica
- ❑ Estar más abierta a los demás
- ❑ _____.

4. Ahora párate a pensar por qué te sientes así y qué podrías hacer para cambiar cada uno de los puntos que has marcado. Por ejemplo, si crees que eres demasiado crítica, pregúntate por qué. ¿Solías sentirte criticada de pequeña? ¿En qué te basas para juzgar a los demás y por qué?

Capítulo 5

Cuando mamá no está contenta, ¡nadie está contento!

Cuando tienes claro lo que quieres hacer en la vida, la mitad de la batalla está ganada. Una tiene que sentirse satisfecha de sus logros, guardar esa sensación en lo más profundo de su corazón y servir a los demás como le gustaría que lo hicieran con ella.

—Sharon Allen, madre de dos hijos y ayudante
del jefe de policía de Tucson (Arizona)

Las madres marcamos el ambiente de nuestros hogares. Más del 95% de las mujeres entrevistadas reconocieron que, cuando ellas son felices, el resto de la familia también lo es. Sin embargo, muchas de ellas admitieron no dedicar mucho tiempo a aquello que las hace felices. Suelen estar demasiado ocupadas cuidando de los demás en casa y en el trabajo.

Nuestra investigación (así como muchas otras investigaciones realizadas anteriormente) demuestra que lo mejor que podemos hacer por el bienestar de nuestras familias es amarnos y aceptarnos a nosotras mismas, y buscar la felicidad día a día. La felicidad no es un lujo, es una necesidad, y debería estar en nuestra lista de prioridades.

Las mujeres solemos exigirnos mucho. Buscamos la perfección en todo lo que hacemos. Desde pequeñas nos llegan mensajes a través de la televisión y las revistas e incluso de maestros y familiares que, con la mejor intención, nos dicen que tenemos que ser guapas y encantadoras, fuertes e independientes. La Barbie ha pasado de ser un ama de casa de las afueras a convertirse en una doctora o una policía, pero sigue siendo mucho más perfecta de lo que ninguna mujer real pueda llegar a ser jamás. Y todo ese perfeccionismo se interpone en nuestro camino hacia la felicidad.

Las madres más felices que conocimos durante la investigación fueron las que aceptaban con más naturalidad sus imperfecciones, sin que éstas representaran un gran problema. Son mujeres que saben muy bien cuáles son sus capacidades e invierten en ellas, al tiempo que son conscientes de sus debilidades y tratan de superarlas. Puede que sus cuerpos no sean perfectos o que sus casas no sean las más ordenadas del mundo, pero hacen bien las cosas que de verdad son importantes. Aman a sus hijos, y sus hijos sienten su cariño día tras día. Disfrutan de su trabajo, y se sienten satisfechas con él. Han definido bien sus valores y viven conforme a ellos. Por lo demás, con un suficiente se conforman.

Consejo para la felicidad: cuando tienes claro lo que quieres hacer en la vida, la mitad de la batalla está ganada; la otra mitad se gana celebrando los éxitos cosechados por el camino.

«Si no te aceptas a ti misma, no puedes ser feliz —dice Danielle, una trabajadora de Tucson, madre de tres hijos—. Cuando te da exactamente igual lo que puedan pensar los demás, te sientes más segura de ti misma».

Feliz de verdad

Danielle —de Tucson, peluquera, dueña de un salón de belleza y madre de tres hijos— quiere compartir con todos nosotros su experiencia de la felicidad:

«Disfruto cantando; de hecho, creo que canto bien. Mis amigos dicen que canto fatal, pero a mí me da igual. Cuando estaba en el colegio, los niños solían meterse conmigo porque decían que estaba regordeta. Ahora que soy peluquera, mis clientas siempre me dicen que estoy espléndida. Con mi trabajo, ayudo a otras mujeres a mejorar su aspecto, y esto las ayuda a sentirse más seguras de sí mismas. La seguridad viene con la edad, y es muy gratificante».

¡Deja de comprar!

Muchas mujeres se sienten abrumadas por el deseo de llegar a ser o tener lo suficiente. ¿Somos lo suficientemente guapas, elegantes, famosas, apreciadas, generosas?

Para demostrarlo, se afanan en conseguir cada vez más bienes materiales, dejarse ver en actos sociales o alcanzar un mayor prestigio a través de las relaciones hu-

(continúa)

manas. Cuando las mujeres caen en esta trampa, suelen pensar que, si tuvieran más (ropa, zapatos, bolsos, joyas, amigos, novios, amantes, acceso a más actos sociales o un marido mejor), llegarían a ser más famosas, mejores personas o más respetadas.

Pero ¿por qué lo hacen? ¿De verdad eso enriquece sus vidas, lo que son o lo que quieren ser? ¿O a lo mejor es porque así se pueden vengar de alguien que las hacía sentir inferiores? ¿O será porque intentan vivir conforme a la opinión que otros tienen de cómo han de ser o de lo que han de conseguir en la vida?

¿No deberíamos esforzarnos por algo que de verdad tenga valor, en vez de seguir acumulando cosas, invitaciones o «amigos» para satisfacer las opiniones de los demás?

Para valorar esta posibilidad, contesta las siguientes preguntas:

1. De estas razones, ¿cuál describe mejor el motivo que me lleva a realizar compras innecesarias?

   Marca las tres razones que mejor representen lo que sientes cuando te vas de compras:

   ❑ Me ayuda a satisfacer una necesidad personal
   ❑ Me gusta demostrar mi habilidad para elegir algo ante otras personas
   ❑ Al final siempre compro algo para que el vendedor se sienta bien
   ❑ Quiero regalarme algo
   ❑ Me hace falta algo para el trabajo o para alguna actividad de ocio

❑ Quiero ser la primera en tener algo para mantener mi estatus

❑ Tengo que prepararme para un evento social (una boda, una cena, una cita, una reunión, etc.)

❑ Quiero ser generosa con alguien (por ejemplo, haciéndole un regalo)

2. Cuando por fin te decides a comprar algo, ¿qué sientes? (Señala la respuesta que indique la emoción que sientes con más frecuencia):

Emocionada y encantada con la compra
SÍ NO
Avergonzada y culpable por haber comprado
SÍ NO
Desanimada (sobre todo por pensar en el precio)
SÍ NO
Satisfecha por haber terminado mis compras
SÍ NO

3. Cuando ya tienes en casa algo que habías comprado para ti, ¿con qué frecuencia sueles devolverlo o cambiarlo por otra cosa? (Señala la respuesta más apropiada):

Siempre
A menudo
A veces
Casi nunca
Nunca

4. Contesta las siguientes preguntas:

(continúa)

- Ahora que ya tienes el *historial* de tus compras, ¿ves alguna pauta que te ayude a entender por qué lo haces?
- Si crees que ya tienes lo indispensable, las preguntas que debes hacerte son las siguientes:

  ❏ ¿Qué me va a proporcionar esto cuando lo haya comprado? ¿De verdad lo necesito?
  ❏ ¿Puedo ser feliz si no lo compro?
  ❏ ¿Algún día llegaré a creer que ya tengo suficiente?
  ❏ ¿De verdad necesito más de lo que ya tengo?

Muchas veces nos compramos algo para consolarnos o para convencernos de que nos lo merecemos (nos merecemos algo nuevo, algo que llame la atención y por lo que nos hagan cumplidos), y para satisfacer la necesidad de sentirnos amadas y triunfantes. Saber distinguir entre las cosas que compramos por capricho y las que adquirimos por necesidad es muy importante para nuestra autoestima y para nuestra felicidad general (por no hablar de la cuenta corriente). Negarnos algo que nos gusta no es la solución; pero tampoco lo es comprar para sobreponernos de un sentimiento de ineptitud.

En lo más profundo de nuestro corazón, todas sabemos lo que es suficiente. Dar rienda suelta a nuestros deseos de vez en cuando no está mal, si podemos permitírnoslo. Pero lo importante es saber que tenemos elección y ser sinceras con nosotras mismas a la hora de comprar algo más.

Las trampas de la felicidad

Muchas veces caemos en las «trampas mentales» que impiden nuestra felicidad, puesto que nos llevan por un camino que nos aparta de ella. Las madres trabajadoras estamos doblemente expuestas, ya que intentamos ser madres y trabajadoras perfectas. En todos los grupos que analizamos por todo el planeta con empresarias, empleadas y colaboradoras autónomas, todas las madres trabajadoras coincidían en las mismas trampas. Entre las más comunes se encuentran:

- La supermamá
- El dinero
- Las necesidades de los demás
- El resentimiento
- Soy lo que hago
- Marcar mi propio ritmo
- La inseguridad

Vamos a analizar más de cerca estas «némesis».

SUPERMAMÁ

Llevadas por el miedo de no ser buenas madres y buenas trabajadoras, muchas mujeres buscan la perfección en ambos ámbitos, sin darse cuenta de que la perfección es inalcanzable.

El prototipo de madre ideal es el de la madre que siempre está ahí para ayudar a sus hijos a hacer los deberes, para leerles una historia o para hacer un bizcocho a los niños de la clase. Está siempre disponible, física y emocionalmente, jamás pierde los nervios y nunca olvida firmar una autorización o llevarle a su hijo la merienda al partido de fútbol. La trabajadora ideal es la que siempre consigue terminar el trabajo a tiempo. Ya ocupe un puesto directivo, ya sea la empleada de un restaurante de comida rápida, siempre está ahí cuando la gente la necesita, hace un trabajo impecable, es un modelo para los demás, todos sus clientes la adoran y hace que su jefe cause buena impresión. Nunca se pone nerviosa, nunca se salta un plazo, nunca llega tarde a una cita, jamás comete un error.

Tú no le pides tanto ni a tu marido ni a tus hijos. Los quieres y aceptas como son. Y quieres que, cuando sean mayores, no se vuelvan locos con la eterna conquista de la perfección. Deseas que se quieran y acepten tal y como son para que sean personas tranquilas y felices. Entonces ¿por qué no quieres lo mismo para ti?

«Tú no eres perfecta, y no pasa nada —dice Sharon Allen, madre de dos hijos y ayudante del jefe de policía de Tucson—. Tienes que aprender a perdonarte. ¡La lavadora puede esperar! Reconoce que sólo puedes hacerlo lo mejor que puedes, que eres humana, y no te eches la culpa por ello. Quizá tengas que tomar otro camino distinto del que pensabas, pero los desvíos valen la pena porque se aprende mucho más de los errores que de los éxitos».

Historia de una madre

A Sharon Allen, que sigue siendo una mujer de carrera, le entró el pánico cuando supo que iba a tener a su primera hija. «Pensé: "¿Cómo voy a seguir con la carrera y con la niña?" —recuerda la agente—. Pero, en el preciso instante en que la cogí en brazos, supe que era lo más importante de mi vida».

Así comenzó la vida de Allen como una madre y esposa trabajadora (lleva casada 28 años) que tenía que combinar el cuidado de sus hijos con el trabajo de una agente de policía. Tanto antes como ahora, en que es ayudante del jefe de policía, siempre ha tenido horarios difíciles, y una vez incluso llegó a trabajar cuatro turnos de diez horas seguidas, aunque con tres días libres: uno para la casa, otro para ir al colegio de los niños y otro para ella. En aquella época, estudiaba una diplomatura de ciencias y se sacó un máster en Educación, y hasta tuvo que trabajar con un contrato de media jornada como guardia de seguridad en unos grandes almacenes para llegar a fin de mes.

«Me iba bastante bien en mi carrera pese a ser una madre trabajadora, antes de que eso se pusiera de moda; [...] y sí, muchas veces tuve que trabajar el doble. También cometí muchos errores, como cuando mi hijo estaba en el instituto y yo no le dejaba en paz porque quería que se cortara el pelo. "Mamá —me dijo una vez—, soy una buena persona, hago todo lo que me dices y no me meto en líos... así que, si me dejo el pelo largo, tampoco será para tanto". Tuve que aprender a ser más tolerante. (¡Y ahora está en la Academia Militar de West Point!).

»Aunque a veces la "supermamá" sólo se quedaba en mamá: volvía reventada del trabajo, me tiraba en el sofá y me pasaba todo el fin de semana durmiendo. La gente dice que soy una campeona... Yo creo que, si mis hijos se han convertido en personas independientes y son buenos ciudadanos, me puedo considerar una buena madre. Cuando tienes claro lo que quieres hacer en la vida, ya tienes la mitad de la batalla ganada. Una tiene que sentirse satisfecha de sus logros, guardar esa sensación en lo más profundo de su corazón y servir a los demás como le gustaría que lo hicieran con ella. Ésa es la clave».

El dinero

En todas las entrevistas que realizamos para nuestra investigación, el dinero siempre destaca como uno de los motivos principales por el que las madres se deciden a seguir con sus trabajos o sus carreras. Sin lugar a dudas, las madres trabajadoras aportan una buena parte de la renta familiar. Alrededor del 43% de las mujeres entrevistadas afirmó que de ellas dependía más del 40% de los ingresos de la casa. Pero, si el dinero es la única compensación que recibe una madre trabajadora, quiere decir que está definitivamente mal pagada. El trabajo requiere muchísimo tiempo y energía, y nos impide pasar más tiempo con nuestros hijos, que son lo que más queremos en el mundo. «Antes de tener al bebé, no me importaba trabajar en lo que fuera —dice Stella, una asesora de 32 años que acaba de tener a su primer hijo—, pero desde que he vuelto de la baja de maternidad, cada vez tengo más claro que el trabajo tiene que llenarme; porque, de no ser así, prefiero quedarme en mi casa con mi niño».

Las personas más felices son las que son capaces de disfrutar con su trabajo o de encontrar un trabajo que les guste. Aunque eso no significa que tengas que trabajar para la paz del mundo. Sólo tienes que descubrir las cosas que te gustan y recordar de vez en cuando por qué te gustan. Trabajar duro en algo que te agrade es mucho menos estresante que trabajar duro y punto. Danielle, la peluquera de Tucson, es un buen ejemplo de ello. Las dificultades que ha tenido que superar hacen que su historia sea aún más conmovedora, y su felicidad, todo un triunfo. La historia de Danielle es la historia de una madre trabajadora que eligió el amor y la felicidad en circunstancias que habrían entristecido y amargado a muchas mujeres.

Historia de una madre

La historia de Danielle es una historia de amor y adversidad, de fuerza y crecimiento personal contra todo pronóstico. Cuando me contó su historia, me quedé sin palabras. Danielle es una atractiva mujer de treinta y pocos años, con una amplia sonrisa, un pelo estupendo y un gracioso vestuario, que siempre está riendo y abrazando a sus clientas. Al verla, te da la sensación de que no ha sufrido en su vida. Gracias a su historia me he dado cuenta de lo poderosos que pueden ser el amor y una actitud positiva ante la vida, por muy difíciles que sean las circunstancias.

—Barrett Avigdor

Danielle conoció a Keith el tercer día del primer año de instituto. Keith era divertido y romántico. Danielle era una chica regordeta que empezaba en el instituto. El amor y las atenciones de Keith la ayudaron a mejorar

(continúa)

su autoestima y a sentirse guapa. Salían juntos mientras estudiaban en el instituto y, en cuanto se graduaron, se casaron.

Keith fue a la universidad y estudió contabilidad, y Danielle fue a una escuela de belleza y empezó a trabajar en varias peluquerías. Cuando Keith consiguió su primer trabajo como contable, decidieron tener hijos. Su primer hijo nació con el síndrome de Tourette y con un trastorno por déficit de atención con hiperactividad (TDAH). El síndrome de Tourette es un trastorno neurológico que causa tics nerviosos y rabietas repentinas. Dos años más tarde nació su segundo hijo, y un año después el tercero. Durante siete años, Keith y Danielle fueron un matrimonio perfecto. Estaban muy enamorados. Se divertían con los niños y participaban activamente en la parroquia. Les iba bien económicamente y estaban empezando a ahorrar. Su casa rebosaba de amor y risas.

Un día, mientras Keith hacía unos arreglos en casa, sintió un tirón en la espalda. El médico le recetó un analgésico (Vicodina) y entonces fue cuando las cosas empezaron a desmoronarse. Durante mucho tiempo, Danielle no tuvo ni idea de lo que estaba pasando. Keith se iba al trabajo todas las mañanas y volvía a casa por la noche. Ella notó que cada vez les quedaba menos dinero en la cuenta, pero no quiso pedirle explicaciones.

Cuando por fin decidió plantarle cara, Keith estaba tomando treinta pastillas al día. Se las proporcionaban los inquilinos de las casas que tenían en alquiler, que en vez de pagar con dinero, lo hacían con pastillas. Hasta llegó a coger objetos de valor que tenían en la casa y empeñarlos para poder pagarse las pastillas. Una vez cogió la videoconsola que habían regalado a los niños.

Danielle insistió en que siguiera un programa de desintoxicación. En cuanto él se marchó, cambió todas las cerraduras. Tenían tres niños en casa, y Danielle no sabía si su marido le habría dado las llaves a algún amigo que también estuviera enganchado.

En cuanto Keith salió del centro de desintoxicación, las cosas empeoraron. Se mudó a una de las casas que tenían en alquiler y empezó a consumir cocaína. En menos de un año, pasó de ser el respetado contable padre de familia a ser un adicto que vivía en la calle. De vez en cuando volvía a casa para pedir comida o dinero, y a Danielle se le rompía el corazón al verlo así, de modo que siempre le daba algo.

Durante dos años, Danielle no quiso decirles a sus hijos lo que le había pasado a su padre. Quería que conservaran la imagen del padre adorable que siempre había sido, así que les dijo que había tenido que irse. Cuando los niños se daban cuenta de que faltaba algo en la casa (un mueble, la televisión, la cámara de vídeo o cualquier otra cosa), Danielle les decía: «Papá lo necesita más que nosotros». Y añadía: «Nosotros no lo necesitamos. Esta casa está hecha de amor».

Danielle abrió un salón de belleza con dos amigas, Kathy y Sheri. Le encanta su trabajo, porque lo ve como una forma de ayudar a las demás a sentirse más seguras de sí mismas cuando se ven tan guapas; y les tiene mucho cariño a sus compañeras de trabajo, con las que

(continúa)

ríe y llora, y con las que sabe que puede contar en cualquier momento. Su apoyo, así como el de sus padres y hermanos, la ha ayudado a ser una persona fuerte y optimista.

En el que habría sido su décimo aniversario, Keith la estaba esperando fuera de casa cuando ella volvió de trabajar. Limpio y sobrio, le pidió perdón por todo el daño que le había hecho. Recordaron viejos tiempos y estuvieron jugando con los niños hasta que Keith tuvo que marcharse. Tres semanas después, lo atropelló un coche y murió. Tenía 35 años.

Danielle esperó dos años para contarle a su hijo mayor toda la verdad sobre su padre. Él la escuchó en silencio y asintió:

—Durante mucho tiempo te he echado la culpa de que papá tuviera que irse. Me alegra que me hayas contado la verdad —le dijo.

Luego se paró y volvió a mirar a su madre.

—Así que la videoconsola y la cámara de vídeo... ¿fue papá?

Danielle asintió.

—No pasa nada —repuso—. No lo necesitamos. Esta casa está hecha de amor.

P. S. Tres años después de que muriera Keith, Danielle volvió a casarse. Ella y su marido celebraron dos lunas de miel. Una antes de la boda: pasaron una semana en la playa con Kathy y Sheri, los padres de Danielle y unos cuantos amigos más; y otra después de la boda, para llevar a los niños a Disneylandia.

Las necesidades de los demás

Desde que existen los bebés, las mujeres se han dedicado a cuidarlos y a alimentarlos. Somos muy protectoras con nuestros hijos, ya sean biológicos o adoptados.

Sin embargo, complacer a nuestros hijos (y a los de los demás) puede convertirse en un trabajo que exige plena dedicación, si te descuidas. Por eso es tan importante que establezcas ciertos límites para ti misma y para quienes te rodean. Una madre trabajadora tiene que dividirse entre las exigencias de la casa y del trabajo, por lo que cuenta con menos tiempo y espacio para marcar sus límites. Pero tu vida es un maratón, no un *sprint* de cien metros lisos. Para ganar, debes aprender a marcar el ritmo. Considérate tan importante como tus hijos, tu pareja y tu trabajo.

Pausa de *coaching* personal: hazte las preguntas adecuadas

Saber plantearse las preguntas adecuadas ayuda a descubrir si vamos por el buen camino y si estamos tomando las decisiones correctas.

- ¿Esto es lo que tengo que hacer ahora, o en mi vida?
- ¿Cómo lo sé? ¿Hasta qué punto he de comprometerme?
- ¿Hay un momento mejor para hacerlo?
- ¿Me conviene como madre?
- ¿Me conviene como socia?
- ¿Es conveniente para el bienestar de mis hijos?

(continúa)

- ¿Me sentiré más feliz, más sana o mejor si lo hago?
- ¿Será un beneficio a corto o a largo plazo?
- ¿Cómo sabré si lo he conseguido?

¿Te acuerdas de Sue, la abuela trabajadora del capítulo 1? Es una mujer extraordinaria que sabe cuidar de sí misma y de los demás. Crió a sus dos hijos, como ahora está criando a su nieta, y cuida de sus padres, ya ancianos, sin perder de vista las necesidades de su marido, de su trabajo y las suyas propias. Se da a los demás con generosidad y disfruta de ello. Pero también piensa en sí misma: se reserva un día por semana para dedicarse a sus cosas. Es una mujer que vive según sus valores en casa y en la escuela en la que trabaja, abarcándolo todo con el espíritu de la verdadera felicidad.

Pausa de *coaching* personal: complacer a los demás y complacerte a ti misma

Saber cuáles son tus prioridades es esencial para la felicidad. Piensa en las cosas que haces que te producen más estrés y hazte las siguientes preguntas:

- Si hago esto por ti, ¿cómo me sentiré, feliz o infeliz?
- ¿Tengo tiempo para comprometerme a hacer esto por ti?
- De mis cosas, ¿qué tengo que sacrificar (o qué tendrá que esperar) si hago esto por ti?
- ¿Ayudo a los demás porque me gusta hacerlo o porque quiero gustarles a ellos?

- ¿Puedo seguir ocupándome de mis cosas si hago esto por ti?
- Y hacerlo, ¿contribuye a mi bienestar?
- ¿Te estoy complaciendo sólo porque así todo es más fácil para mí?
- ¿Tengo que cambiar algo para satisfacer mis necesidades?

Todas las relaciones humanas se pueden definir como un flujo de energía entre nosotros y los demás. En una relación bien equilibrada, el flujo circula en ambos sentidos. Tú das energía a esa persona y ella te la da a ti. Sin embargo, algunas relaciones están más centradas en una de las dos personas.

Imagen 5.1: Mapa de flujo de energía

Alto = Siempre; Medio = A veces; Bajo = Alguna que otra vez

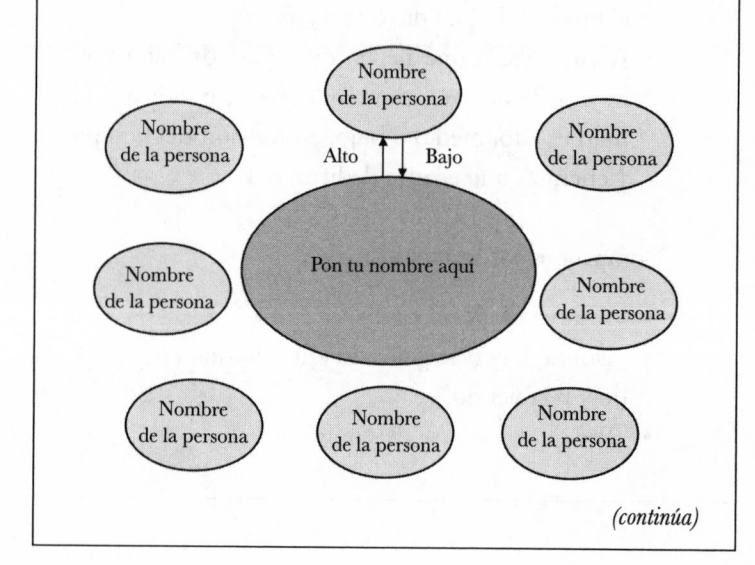

(continúa)

Tú puedes ser quien dé o reciba, pero que no sea recíproco. Vamos a analizar el mapa de flujo de energía.

¿Quién necesita tu tiempo y energía?

- Marido o pareja
- Jefe o socio
- Hijos
- Clientes

Sigue el flujo de energía:

- Escribe tu nombre en el óvalo central.
- En los demás, escribe los nombres de la gente con la que te relacionas.
- Dibuja una flecha que apunte hacia cada una de esas personas y, en función de la cantidad de tiempo y energías que inviertas en ellas, indica si el flujo es alto, medio o bajo.
- Ahora dibuja una flecha que salga de cada una de esas personas, apuntándote a ti, e indica si el flujo es alto, medio o bajo, en función del tiempo y energías que ellas te dedican a ti.

Comprueba los resultados:

- Observa las flechas.
- ¿Dónde hay desequilibrio entre lo que estás dando y recibiendo?
- ¿Por qué existe ese desequilibrio?

> - ¿Qué puedes hacer para equilibrar la situación? ¿Tienes que dar más? ¿Tienes que recibir más a cambio?

El resentimiento

Cuando te sientes oprimida entre el trabajo y la casa, es fácil caer en el resentimiento, hacia una pareja que no te ayuda lo suficiente (o por no tener una pareja que pueda ayudarte); hacia tu jefe, que no es comprensivo; hacia todas esas amas de casa que te juzgan con dureza; y hacia tus propios hijos, porque sus exigencias parecen infinitas. El estrés y la fatiga pueden desembocar en una rabia silenciosa que se interponga en tu camino hacia la felicidad.

Un gran tramo del camino consiste en dejar pasar la rabia y aprender a perdonar. Perdonarte a ti misma, perdonar a tu familia, perdonar a tus amigos, perdonar a tus compañeros de trabajo y perdonar a todos los que crees que te están juzgando, a ti o a tus sueños. Si abandonas la rabia —si la abandonas de verdad—, sentirás un tremendo alivio que dejará mucho espacio para la felicidad en tu cabeza y en tu corazón. Pero, si te aferras a ella, la rabia será el origen de un resentimiento que te endurecerá el corazón y la mente hasta tal punto que bloquearán tu felicidad.

Todas las madres desarrollamos la capacidad de amar y perdonar. Y el modo en que demostramos el perdón y el cariño es un regalo que compartimos con nuestros hijos, que, al mismo tiempo, aprenden de nosotras. El perdón es un elemento imprescindible del amor incondicional. Aun así, a veces nos sentimos tan profunda y sinceramente heridas por los demás que nos parece imposible perdonar.

Independientemente del modo en que veas el perdón con la mente y con el corazón —que lo consideres un asunto moral, religioso, legal o sencillamente algo necesario para tu salud física y emocional—, el hecho es que cala en cada fibra de tu ser y por eso tienes que aceptarlo con todas tus fuerzas si de verdad quieres ser íntegra y feliz. Todos los límites que pongamos a nuestra capacidad y deseo de perdonar son límites que imponemos a nuestra felicidad. Cuando negamos el perdón, nos estamos haciendo daño a nosotras mismas y a los demás.

Si queremos ser personas adultas, sanas y felices, tenemos que pararnos a pensar detenidamente en ello y resolver cualquier problema que se nos pueda presentar a la hora de perdonar. El perdón va más allá de la mera amabilidad o de las respuestas superficiales y automáticas. El perdón nos ofrece una forma muy especial de alivio espiritual, moral y biológico. En el mundo imperfecto en que vivimos, jamás nos faltarán oportunidades de mostrar perdón. Pero también tenemos que verlas como oportunidades para crecer y dar alivio a la mente y al cuerpo. La semilla del perdón se encuentra en todos los seres humanos. Todos somos capaces de perdonar. Y lo que es más importante, todos podemos ser perdonados. Que la semilla crezca depende de cada uno de nosotros.

Feliz de verdad: una historia de esperanza

Michael S. Barry, doctor en Teología, autor de *A Reason for Hope* (David C. Cook Publishing, 2004) y encargado del cuidado pastoral en los centros de lucha contra el cáncer de Filadelfia, nos ofrece su fórmula para el perdón. Es una mezcla de sanación a través del ministerio teofóstico (La luz de Dios: de *Theos*, Dios; y *phos*, luz) y la terapia narrativa, es decir, mediante el poder de la reflexión y la expresión, ya sea cantando o escribiendo poesía.

«La premisa de la sanación según el movimiento teofóstico es que "la verdad os hará libres" —explica el doctor Barry—. Muchas veces, lo que nos hace caer en las redes del odio y el rencor es una mentira que nos contamos a nosotros mismos, o toda una serie de pensamientos irracionales. Si buscamos la verdad sobre nosotros mismos y lo que nos ha ocurrido, podremos entender mejor los hechos sin sentir culpa o vergüenza. Y al deshacernos del peso de la culpa o la vergüenza, nuestros corazones se abren a la posibilidad del perdón».

Es importante distinguir entre el perdón y lo perdonable. Por ejemplo, podríamos hacer algo que involuntariamente dé lugar a un malentendido o produzca una decepción. Eso sería un acto perdonable y la persona que ha recibido el daño es la que tendrá que decidir si concede o no su perdón. Hay actos que son perdonables y merecen el perdón; mientras que otros, como la crueldad o el daño deliberado, son imperdonables, y sin

(continúa)

embargo todos tenemos la capacidad de perdonarlos. Hasta el asesinato o la guerra, que son imperdonables, pueden ser perdonados. Nuestra capacidad de perdonar es lo que nos hace verdaderamente humanos.

Cada uno tendrá que elegir entre perdonar o depender de emociones inútiles, como la rabia, el dolor o el rencor que ciertos actos —perdonables o imperdonables— nos puedan causar. Las reacciones negativas del cuerpo ante la rabia y el estrés están bien documentadas, mientras que las consecuencias físicas del perdón todavía se están examinando científicamente. No obstante, todos sabemos que el acto emocional del perdón ayuda a recuperar el bienestar espiritual, al que muchos científicos consideran una fuente de salud física.

Cuando te des cuenta de lo importante que es aprender a perdonar, empieza a practicar. El perdón es un arte que no se aprende de la noche a la mañana, pero cuanto más practiquemos, más fácil nos irá resultando.

Lo primero que debes hacer es vencer el resentimiento. Pero antes tendrás que determinar la causa (o causas) de todos los rencores que hayas acumulado y tener claro qué vas a necesitar para superarlos. Si quieres que te ayuden más en casa y en el trabajo, ¿qué puedes hacer para conseguirlo? ¿Has hablado con esas personas para pedirles que te echen una mano? Puede que tus hijos ya sean lo bastante grandes para arrimar un poquito más el hombro; o a lo mejor tu marido podría cooperar haciéndose cargo de algo más. Asimismo, tendrás que pararte a pensar si no estarás haciendo más de lo que deberías.

¿De verdad es tan importante que hagas lo que después te provoca un resentimiento que te impide ser feliz? Por ejemplo, ¿de verdad es tan importante dejar la casa impecable todos los días? ¿Es absolutamente necesario que te quedes trabajando en ese informe hasta después de medianoche? No olvides que la perfección es un objetivo inalcanzable.

La lista de la culpa

A lo largo del libro, hemos hablado de las culpas y excusas que todas usamos y que reducen nuestra eficacia y felicidad. Échale un vistazo a esa lista y luego confecciona tu propia lista de culpas y excusas. Después, haz el firme propósito de eliminarlas, sean pensamientos o acciones.

La lista de culpas y excusas

- No aprendo de mis errores
- Me invento excusas y pretextos
- Utilizo a la gente
- Me siento culpable por _____
- Me comparo con doña Perfecta
- _____

Historia de una madre: victoria de una madre

Jayne Rager de García Valseca, de 42 años, no es la típica mujer trabajadora, pero su historia y su increíble capacidad de recuperar la alegría y perdonar en una situación desesperada tampoco lo son.

En este momento, Jayne acude a un centro de lucha contra el cáncer de mama en Filadelfia. No es la primera vez que tiene cáncer. Cuando tenía 38 años, le diagnosticaron un cáncer de mama, del que se recuperó por completo. Sin embargo, esta vez ha tenido que desarrollar una asombrosa capacidad de perdonar para poder recuperar su vida.

«Llevaba una vida de fábula, y estaba segura de que el cáncer era algo que ya había quedado atrás. Pero entonces pasó una cosa horrible. Vivíamos en la región central de México y estábamos preparando unas vacaciones que deseábamos hacer con los niños.

»Mi marido y yo íbamos de regreso a casa. Acabábamos de dejar a los niños en el colegio y nos encontrábamos a medio kilómetro de nuestro destino, cuando de repente nos asaltaron. Los agresores iban armados y nos obligaron a parar en el arcén. Rompieron las ventanillas y nos sacaron del coche. Aquello duró poco. Formaron un jaleo tremendo y nos entró el pánico.

»Golpearon a mi marido en la cabeza con una pistola y nos obligaron a subir a su coche. Nos taparon la cabeza con fundas de almohada y nos ataron las manos con cinta aislante. Unos quince minutos después, me soltaron. Me dejaron en una zona boscosa, en el arcén. Yo no sabía qué estaba pasando. Se llevaron a mi marido y a mí me dejaron allí, con una nota de rescate. Querían que les pagara un rescate de millones de dólares.

»Se desencadenó un infierno. Lo tuvieron encerrado siete meses y medio en un zulo, sin ventanas, con una luz muy intensa y la música a todo volumen día y noche. Lo dejaban desnudo casi todo el tiempo, estaba medio muerto, dormía en el suelo y apenas le daban de comer. Le propinaban palizas todos los días y le dispararon a quemarropa dos veces, una en la pierna y otra en el brazo, para mandarme las fotos y exigir el rescate; pero yo no disponía de ese dinero. No sabía qué hacer. Tenía que encontrar la forma de seguir adelante y terminar con todo aquello.

»Odiaba a aquellos hombres por lo que le estaban haciendo a mi marido, y a nuestras vidas. Me sentía amargada y quería venganza. A veces me imaginaba como un samurái que se presentaba allí y les arrancaba la cabeza. Eso me consolaba. Fui a hablar con un sacerdote, que me pidió que rezara por los secuestradores y para que todo se resolviera pacíficamente. Me dio una oración muy bonita, pero no fue suficiente. La vida era un infierno. Yo me llevaba la peor parte, porque tenía que seguir adelante y mantener la compostura en todo momento, por los niños y por el bien de la familia. No podía demostrar lo que sentía. Ni siquiera podía echarme a llorar, porque creía que, si empezaba, no podría parar.

»Cuando por fin lo soltaron, me alegré muchísimo de que pudiera volver a casa; sin embargo, estaba conster-

(continúa)

nada por la crueldad con que lo habían tratado y por su estado de salud. Pesaba 40 kilos y apenas se mantenía en pie, y a pesar de todo seguía siendo una persona extraordinariamente positiva. Se sentía agradecido por cada segundo que le concedía la vida.

»Al final, la que salió peor parada fui yo. A las pocas semanas me noté un bulto en el pecho. Cuando me dieron los resultados, ni siquiera me sorprendí. Había pasado por demasiadas cosas. Ni me inmuté por la noticia.

»Al llegar al centro de tratamiento contra el cáncer, el encargado del cuidado pastoral, el doctor Michael Barry, me planteó por primera vez la idea del perdón como un acto de amor hacia mí misma y como un método de sanación. Yo no quería seguir sufriendo, pero la idea de perdonar a los secuestradores me pareció demasiado. Intenté justificar mi rabia, pero el doctor Barry me contestó: "Considéralo un regalo que te haces a ti misma".

»Me pidió que, cuando llegara a casa, escribiera una carta a los secuestradores. Yo escribí cinco páginas seguidas diciéndoles todo lo que pensaba de ellos. ¡Qué bien me sentí! Fue como destapar una olla exprés.

»Después, el doctor Barry me pidió que escribiera otra carta, pero esta vez intentando sentir compasión por ellos. Me dijo que todos somos capaces de hacer cualquier cosa cuando las circunstancias nos atenazan. Me senté con el folio en blanco delante, pero no tenía nada más que decir. Intenté relajarme, respirar profundamente (como una especie de meditación), y empecé a pensar en esos delincuentes como si fueran bebés. Me imaginé todo lo que habrían tenido que pasar hasta convertirse en los criminales que eran. Tardé como una hora o así, y durante la meditación sentí un alivio por todo el cuerpo, pero sobre todo en las zonas en que me habían detectado los tumores.

»En ese momento me convencí de que la causa de mi enfermedad había sido una intoxicación de pensamientos y emociones negativas, por mi forma de afrontar las dificultades (el control que ejerzo sobre mí misma). Me sentí cambiada por dentro. Desde entonces, incluso la terapia ha sido más fácil de sobrellevar: cuando terminan las sesiones, ya no me siento tan deprimida. Me he propuesto mirarlo todo con una actitud positiva. Y me estoy recuperando. Espero que otras personas puedan llegar a entender la importancia que tienen el perdón y el optimismo en el proceso de curación».

P. D. Mientras Jayne se recupera, escribe un libro sobre su experiencia en México: *While Mariachis Played*.

Soy lo que hago

Muchas madres trabajadoras se sienten insignificantes sin su trabajo. Creen, erróneamente, que su aportación económica o el prestigio que se deriva de su trabajo es lo que las convierte en un elemento valioso de sus familias. Ni que decir tiene que sus hijos enseguida les dirían que no es verdad. Sin embargo, en lugar de darse cuenta de su valor intrínseco como seres humanos, estas madres creen que su valor depende de sus nóminas o del tipo de trabajo que realicen. Creen que no cuenta lo que son, sino lo que hacen o cuánto ganan. Esta idea te puede ayudar a hacer carrera o a conseguir ingresos de seis cifras, pero no te permitirá ser feliz.

La felicidad llega cuando aprendes a aceptar que se te quiere y se te valora por ser quien eres, y no por lo que haces. La felicidad llega cuando aprendemos a querernos a nosotras mismas. Lo que elijas —quedarte en casa para ser la directora ejecutiva de tu familia o seguir en tu puesto de trabajo— no tiene la menor importancia, porque lo que de verdad cuenta es que sepas que se te quiere y se te aprecia por el valor que aportas en virtud de tu felicidad. En realidad, todas podemos ser madres trabajadoras y felices. Después de todo, el trabajo de la casa requiere tanta dedicación como el que pueda tener la socia de una empresa, si no más. Todas tenemos un empleo, en casa o en el trabajo. En ambos casos, nuestro éxito se mide en función de la calidad de nuestras relaciones, y no de la cantidad de títulos acumulados. El éxito se deriva del tipo de empresa que tenemos, no del dinero que se gana.

Historia de una madre

«Estaba intentando hacerme socia de la empresa. Y también estaba en el tercer trimestre de mi embarazo. Sería una niña y se iba a llamar Emma. Yo tenía 38 años, y era una mujer de éxito, felizmente casada y madre de una adolescente estupenda, Elisabeth. Mi corazón estaba donde debía estar, pero no mi cabeza.

»Una mañana, salí a toda prisa de mi casa para acudir a una reunión que tendría lugar a dos horas de allí.

Se me estaba haciendo tarde. Cuando me subí al coche, me dolía la espalda y no me encontraba muy bien. Sin embargo, no desistí. Llegué puntual a la reunión, pero estuve acumulando durante todo el camino todos los pensamientos negativos que se nos pasan por la cabeza cada vez que dejamos de tratarnos con el amor y el respeto que nos debemos como mujeres y como seres humanos.

»A media mañana me encontré peor. Mientras estaba allí, delante de una audiencia completamente masculina, exponiendo un importante plan estratégico para los clientes, lo supe. Supe que se había cumplido mi peor pesadilla. A la hora de comer llamé a mi ginecólogo para que me diera los resultados de unas pruebas que me había hecho, y me lo confirmó. El feto estaba muerto; tenía un síndrome de choque tóxico y debía acudir enseguida al hospital. Pero no lo hice... por miedo a perder mi trabajo, por miedo a perder a mis clientes, por miedo a perder la credibilidad, por miedo a echar a perder mi carrera. Antepuse mi carrera a mi propia salud. Seguí trabajando, ¡y no llegué al hospital hasta las 8 de la tarde!

»Os lo cuento con la esperanza de que mi historia pueda ayudar a otras mujeres (a otras madres entregadas, inteligentes y cariñosas) a dejar de tratarse con tanta dureza, a dejar de juzgarse a sí mismas, a dejar de sentirse culpables o avergonzadas, y a apartar de sus mentes cualquier otra idea negativa que puedan tener sobre cómo sus acciones pueden influir en sus carreras o en su éxito como madres trabajadoras».

—Cathy Greenberg

Marcar mi propio ritmo

Es muy fácil caer en la trampa de la «mentalidad de carrera». Sin importar el sector en que te encuentres, el hecho es que siempre estarás rodeada de gente que quiere llegar a convertirse en jefe, en socio o en el que quiera que sea el próximo peldaño de la escalera. En muchas empresas, el éxito se define en función del ritmo de ascenso que lleves, de los honorarios o del número de personas que tengas a tu cargo. Y eso sin olvidar que, cuanto más alto nos encontremos, más exigente se volverá el trabajo y más tiempo nos robará.

Date a ti misma la oportunidad de elegir el camino y el ritmo que mejor te vayan. No dejes que los demás marquen el paso que has de llevar. Puede que tú prefieras seguir tu «ruta de mamá» durante unos años, mientras los niños son pequeños. Eso no quiere decir que no te vayan a dar nunca un ascenso, sino que tardarás un poco más en alcanzar tus metas. Pero la que tiene que decidir después de analizar los pros y los contras eres tú. Y tal vez, cuando estés preparada para darle otro empujón a tu carrera, puedas cambiar de jefe o incluso hacerte autónoma. Sherry Brennan, de la cadena Fox, y Sharon Allen, la ayudante del jefe de policía de Tucson, eligieron este camino. Ten en cuenta que quedarte en casa para cuidar de los niños no quiere decir ponerse límites.

Por otra parte, si lo que de verdad quieres es llegar arriba lo antes posible, a por ello. Sin embargo, primero tendrás que pararte a pensar lo que esto puede significar para ti y para tu familia. Apenas te quedará tiempo para nada más. Y, si además tienes que viajar por motivos de trabajo, el tiempo que podrás pasar con tu familia se convertirá en un lujo. Pero, si eliges esta opción (tú, sin que nadie te la imponga), llevarás las riendas de tu vida. Si estás casada o convives con alguien, necesitarás todo el apoyo de tu pareja. Las madres trabajadoras de las que hemos hablado, que llegaron al máximo de las carreras que habían elegido, han insistido mucho en lo importante que era que sus parejas no sólo las ayudaran, sino que estuvieran orgullosas de sus logros. Si la que decides eres tú, sin dejar que nadie te lo imponga desde fuera, el trabajo y los inconvenientes te resultarán mucho más llevaderos.

<u>Historia de una madre</u>

«Cuando tenía 8 años, ya sabía que quería ser abogada. Lo llevaba en las venas. Todos mis esfuerzos estaban encaminados a convertirme en una abogada de éxito, y lo conseguí.

»Para mi sorpresa, con 34 años me casé con un hombre que me amaba, y tuvimos dos hijos. El marido y los niños no habían entrado nunca en mis planes.

»Teníamos una niñera estupenda que se ocupaba tan bien de mis hijos que yo me sentía superflua. Empecé a pensar que mi objetivo en la vida era trabajar para poder pagarle a ella. De este modo, los niños estarían más contentos, porque ella era mejor madre que yo. La frustración siguió creciendo hasta que tomé una decisión radical. Quería irme de Chicago y mudarme a Tucson. Por suerte, la sociedad para la que trabajaba me permitió seguir trabajando con ellos a distancia, por teléfono e Internet, así que pude seguir trabajando desde casa.

(continúa)

»Mi marido fue muy comprensivo y accedió a seguir adelante con aquella locura. Ha sido la decisión más difícil y también la mejor que he tomado en toda mi vida. Mi carrera cambió por completo, pero me sigue gustando mi trabajo y la gente con la que trabajo; además, he podido disfrutar de unos años maravillosos con mis hijos, en los que he tenido tiempo para ayudarles con los deberes, ir a verlos a los partidos y conocer a sus amigos.

»Nunca llegaré a alcanzar los objetivos que me fijé tiempo atrás, pero ahora tengo otros. La infancia de mis hijos está a punto de terminarse y yo me alegro mucho de no habérmela perdido».

—Barrett Avigdor

La inseguridad

Las madres trabajadoras suelen sentirse inseguras de sus decisiones. No dejan de preguntarse si estarán haciendo lo mejor para su familia. ¿Estarían mejor los niños si yo dejara el trabajo y me quedara con ellos todo el día? ¿Estaré haciendo mal en salir del trabajo a las cinco de la tarde todos los días para ir a recoger a los niños a la guardería? Si eres una de esas mujeres inseguras, tenemos un consejo para ti: ¡Basta! Confía en ti y en tus decisiones; si te equivocas, ya lo arreglarás, como siempre has hecho. La duda es la gran devastadora. Destroza la seguridad en nosotras mismas y desgasta las energías. No tenemos tiempo para las dudas.

Para ser feliz, confía en tus instintos. Tenemos el instinto maternal por un motivo muy concreto, pero también contamos con muchos otros instintos muy valiosos. Escúchalos. Escúchate a ti misma. Confía en tus instintos. Aunque no nos demos cuenta, nuestro cerebro recibe gran cantidad de información de la que no llegamos a ser conscientes pero que mantiene al día nuestros instintos.

Y si te equivocas de vez en cuando, ¡¿qué pasa?! Debes consentirte algún que otro error. Un error es la señal de que estamos aprendiendo, madurando, experimentando y siendo creativas. Todos cometemos errores. Aunque algunos no lo admitan por temor a que los demás no los vean perfectos. En cuanto aceptes que no eres perfecta y que te puedes equivocar de cuando en cuando, habrás dado un paso de gigante hacia la libertad y la felicidad. No te exijas más de lo que exiges a tus seres queridos. A ellos les permites y les pasas por alto muchas cosas. Tú también te lo mereces.

Infelicidad

¿Te acuerdas de Tal Ben-Shahar? Es el escritor y psicólogo del que hablamos en el capítulo 1, que imparte cursos de felicidad en Harvard. Ben-Shahar divide a las personas infelices en tres categorías:

1. **Los conquistadores** son los que dejan su felicidad para después. Trabajan sin descanso hoy, a veces hasta volverse desgraciados, pensando que la felicidad llegará cuando... consigan un ascenso, ganen muchísimo dinero, o se jubilen. La cultura

occidental refuerza este modo de pensar porque premia los resultados, y no el proceso. Desde la más tierna infancia se nos enseña a dejar la alegría para luego; cuando ganes el partido, cuando saques un sobresaliente o cuando consigas lo que te habías propuesto... te habrás ganado el derecho a ser feliz. Sin embargo, la consecución de un objetivo suele darnos alivio, no felicidad, y nos buscamos otro reto.

2. **Los rastreadores de felicidad** son los que buscan el placer ahora, sin pensar en el futuro. Toda su vida se reduce a buscar el placer y huir del dolor. Pero, con el tiempo, la falta de objetivos los convierte en hedonistas insatisfechos e infelices.

3. **Los que se rinden** son los que se resignan a creer que la vida no tiene sentido, y pasan por ella con el piloto automático, sin altibajos, sin pasión ni desesperación. El origen de su sufrimiento es la falsa creencia de que la felicidad es sencillamente inalcanzable.

Entre todas las mujeres que hemos conocido a lo largo de nuestra investigación y todas nuestras amistades, todavía tenemos que encontrar a una madre «rastreadora de felicidad». Las rastreadoras incansables saben que criar a los hijos no es fácil, así que tienden a evitarlos. O si los tienen, dejan de buscar la felicidad.

Muchas mujeres pertenecen al grupo de las «conquistadoras». Están convencidas de que serán felices cuando logren alcanzar una meta profesional o cuando los niños crezcan y no exijan tanta atención. Pero no se dan cuenta de que después de una meta aparece otra, y cuando los niños crezcan irán al instituto. Están tan pendientes del futuro que se pierden el presente.

Las madres trabajadoras más infelices son las del tercer grupo, las que «se rinden». Se mueven por la vida como si fueran robots, desarrollan una serie interminable de tareas en el trabajo y en casa, pero no disfrutan con ninguna de ellas. Están demasiado cansadas (emocional, espiritual y físicamente) como para alegrarse por nada. Para ellas, la vida es un campo de trabajos forzados por el que tienen que pasar. En su penosa marcha, apenas encuentran altibajos. Quieren a sus hijos y se aseguran de que estén sanos, a salvo, y de que hagan los deberes, pero difícilmente lograrán disfrutar del tiempo que pasan con ellos. Estas mujeres están atrapadas en una lista interminable de tareas y lo único que quieren es poder hacer un borrón sobre la siguiente.

Esperamos que después de leer este libro dejes de pertenecer a estos grupos. Nuestro deseo es que llegues a vivir conforme a tus valores, rodeada de las personas que te transmiten fuerza y energía, y que descubras la alegría de los pequeños momentos de la vida.

Empresas inflexibles

Si eres una madre trabajadora, lo más seguro es que hayas sentido alguna vez que la política de tu empresa no está hecha para trabajadores con familia. Tienes razón. Según un estudio realizado por el Instituto de Política Social y Sanitaria de la universidad canadiense McGill, en lo que se refiere a las condiciones laborales de los empleados con familia, «Estados Unidos está a la cola, por detrás de todos los países de mayor desarrollo socioeconómico, e incluso por detrás de algunos países con ingresos medios o bajos».

Yo creo que en Estados Unidos deberíamos respetar más las vacaciones. En realidad, es un problema cultural. Me gustaría que se difundiera una cultura que respetase el tiempo que pasamos fuera del trabajo como un tiempo en el que de verdad desconectemos del trabajo; aunque a veces, más que nada, es una actitud voluntaria.
—Jill Smart, madre trabajadora y directora
del departamento de recursos humanos de Accenture.

«En muchos países, se están adoptando medidas de mejora de la protección familiar con las que los americanos no pueden ni soñar —dice la doctora Jody Heymann, directora del estudio, fundadora del Project on Global Working Families [proyecto sobre las familias trabajadoras del mundo] de la Universidad de Harvard y directora del Instituto de Política Social y Sanitaria de la universidad canadiense McGill—. Estados Unidos siente el orgullo de haber sido el primero en aprobar leyes que aseguraran la igualdad de oportunidades en el trabajo, pero con las medidas de protección familiar se ha quedado muy atrasado».

Considera algunos de los descubrimientos del estudio de Heymann *The 2007 Work, Family and Equity Index: How Does the U.S. Measure Up?* [Índice de 2007 sobre trabajo, familia y equidad: ¿En qué medida da la talla EE.UU?]:[1]

- De los 173 países que hemos tomado como referencia para nuestro estudio, 168 garantizan la baja de maternidad remunerada; y de ellos, 98 proporcionan un mínimo de 14 semanas de baja remunerada. Estados Unidos no prevé baja de maternidad. Los demás son Lesoto, Liberia, Suazilandia y Papúa-Nueva Guinea.

- Al menos 107 países protegen el derecho de la mujer a dar el pecho a sus hijos, y 73 de ellos les conceden pausas remuneradas en el trabajo. Estados Unidos no garantiza tal derecho, aunque está demostrado que la lactancia materna reduce el riesgo de mortalidad infantil de 1,5 a 5 veces.
- Al menos 145 países garantizan baja por enfermedad remunerada; 127 de ellos prevén un mínimo de una semana al año. Estados Unidos, mediante la Ley de licencias médicas y familiares, permite una baja no remunerada para enfermedades graves, que no cubre a todos los trabajadores y tampoco cuenta con una ley federal que garantice una baja médica remunerada.
- Al menos 137 países obligan a los empresarios a garantizar una licencia anual al personal. Estados Unidos, no.
- Al menos 134 países tienen leyes que establecen el número máximo de horas laborales por semana. Estados Unidos no tiene ningún máximo de horas laborales ni ningún límite obligatorio de horas extra por semana.

Esto no quiere decir que no existan empresas más flexibles y capaces de adaptarse a las necesidades de los empleados con familia: sí que existen (y además prosperan), porque se dan cuenta de que un empleado feliz es mejor trabajador, y esto repercute en los ingresos anuales. Para más información sobre este tipo de empresas y lo que las hace ser como son, véase el *Working Mother Magazine* o su página web.[2]

Balance final: ejercicios

CONECTA CONTIGO MISMA Y CON LOS DEMÁS

Hazte las siguientes preguntas:

- ¿Me reservo el tiempo que necesito para mantener una buena relación con mi pareja, mis seres queridos y conmigo misma?
- ¿Dedico tiempo a las relaciones significativas con los demás?
- ¿Cómo me doy cuenta de cuándo debería dedicar más tiempo a las relaciones sociales que me procuren bienestar?
- ¿Qué puedo hacer para desarrollar mi capacidad de relacionarme con los demás?
- ¿Conozco a las personas adecuadas? Y si no es así, ¿qué puedo hacer para conocerlas?
- ¿A quién conozco que me pueda ayudar?
- ¿Qué puedo hacer para entablar conversación por primera vez?

La voluntad de ser feliz

El objetivo de este ejercicio es ayudarte a tomar consciencia de las trampas de la felicidad en las que sueles caer y ofrecerte vías de escape a fin de que te puedas crear un «vivieron felices para siempre».

Recuerda las trampas de la felicidad que hemos analizado en este capítulo:

- La supermamá
- El dinero
- Las necesidades de los demás
- El resentimiento
- Soy lo que hago
- Marcar mi propio ritmo
- La inseguridad

Indicaciones:

a. Marca las tres trampas en las que suelas caer.
b. Escríbelas en orden.
c. Contesta las siguientes preguntas:

- ¿Qué me hace caer en la trampa de _____?

- Completa la frase con un ejemplo: Sé que he caído en la trampa porque _____ _____

(continúa)

- Si te vieras en la trampa, ¿qué te aconsejarías?
- ¿Cómo crees que podrías evitarla?
- Piensa en posibles soluciones y relaciónalas con acciones que pudieran ayudarte a evitarla.

d. ¿Qué has aprendido de ti misma con este ejercicio? ¿Cómo puedes mejorar y qué ayuda necesitarías?

e. Llévalo a la práctica.

DIARIO DE NOTAS

Escribir un diario de notas te puede ayudar a no perder el rumbo de la felicidad. Como punto de partida, puedes usar esta estructura, pero si prefieres usar otro formato, no olvides las preguntas que aparecen a continuación.

Nombre: _____

Fecha: _____

Hora: _____

• Relaciones:

¿Qué pensamientos, recuerdos o acciones de hoy te han animado y cuáles te han desanimado?

- Fuerza:

  ¿Cómo describirías las energías que tenías esta mañana, esta tarde y esta noche?

- Valores:

  ¿Qué valores han jugado un papel central hoy?
  ¿Has sido fiel a tus valores hoy?
  ¿Te sientes distinta cuando aceptas compromisos que no se ajustan a tus valores?

- Trampas de la felicidad:

  ¿Qué trampa (o trampas) has evitado hoy gracias a tu esfuerzo y actitud positiva?

Capítulo 6

¿Y qué pasa con los hijos?

¡Mi madre es mi héroe!
—Rocco Fiorentino (conocido como «Little Rock»)
tiene 12 años; su madre, Tina Fiorentino,
es la cofundadora y directora ejecutiva
de The Little Rock Foundation.

Si estás tranquila y contenta con tus decisiones como madre, no importa si trabajas o no: tus hijos crecerán bien. No hay una opción correcta o incorrecta. Si quieres quedarte en casa con los niños, ellos crecerán bien. Y si prefieres trabajar para dar estabilidad económica a la familia, también. Así de fácil. Pese a ello, la idea de que las madres trabajadoras niegan a sus hijos el amor y la atención maternal que necesitan sigue siendo un mito de nuestra sociedad. Pero es un mito rotundamente falso. Así de sencillo.

Amy, una madre trabajadora con dos hijos, lo dice bien claro: «Tu felicidad es determinante para tus hijos».

Los niños crecen bien en hogares felices

Tú decides. Si quedarte en casa con los niños todo el día (o medio día) los primeros años satisface tus necesidades, se ajusta a tus valores y te proporciona una verdadera alegría, es maravilloso. Sin embargo, para millones de mujeres, quedarse en casa no es una opción viable, por motivos económicos, emocionales, o ambos.

Tus hijos necesitan que seas feliz

Si te inquieta o asusta que seguir trabajando pueda perjudicar a tus hijos, tranquila. No es así. «No hay ninguna evidencia científica que demuestre que los niños salgan perjudicados en modo alguno por el hecho de que sus madres trabajen», aseguró la Academia Americana de Pediatría en un informe de 2004.

«Los factores que más influyen en el desarrollo del niño es la situación de estrés [o tranquilidad] que se viva en casa, el modo en que la familia se sienta por el hecho de que la madre trabaje, y la calidad del servicio de guardería y preescolar», afirma el libro de la prestigiosa organización titulado *Caring for Your Baby and Young Child, Birth to Age 5*, editado por el doctor Steve Shelov.

La calidad

Todas queremos que nuestros hijos crezcan rodeados de cariño, seguros y emocionalmente equilibrados. Lograrlo no es difícil, pero para conseguirlo no se nos puede olvidar que, cuando pasemos tiempo con ellos, tenemos que ser conscientes de los mensajes que les transmitimos directa e indirectamente.

El mito desenmascarado

Las madres trabajadoras nos sentimos culpables porque en el fondo creemos que estamos perjudicando a nuestros hijos si nos vamos a trabajar, en vez de quedarnos con ellos todo el tiempo. «El sentimiento de culpa es la tarjeta de visita de una madre. Todas las madres se sienten culpables, da igual lo que hagan —dice Myf, una madre trabajadora y feliz de Denver (Colorado), con tres hijos ya adultos—. Pero he tenido que trabajar siempre. Y me gustaba. Además, nos ha ayudado a ser mejores a mis hijos y a mí».

Myf tuvo que criar a sus hijos ella sola, mientras estudiaba en la universidad de su ciudad y mantenía dos trabajos. «Mis hijos me veían siempre con la cabeza metida en los libros. Fui un buen ejemplo para ellos, y ahora devoran los libros», dice Myf.

Los hijos de las madres trabajadoras crecen bien

Abundan las historias de hijos de madres trabajadoras que crecen bien, se sienten amados y seguros, y llevan una vida feliz y productiva. Pero la prensa se empeña en subrayar los aspectos negativos de las madres trabajadoras. Los libros y artículos siguen hurgando en los problemas de los niños «abandonados» en casa, y los programas de televisión no hacen más que recriminar a las madres trabajadoras que están perjudicando a sus hijos por dejarlos en casa para irse a trabajar. No es de extrañar que, al final, las madres trabajadoras carguen con la culpa de todo, desde la obesidad de los niños hasta un posible problema de atención e hiperactividad que puedan tener. Pero ha llegado el momento de aclarar las cosas y plantarle cara a la verdad.

Consejo para la felicidad: en cuanto aceptes que no eres perfecta y que te puedes equivocar de cuando en cuando, habrás dado un paso de gigante hacia la libertad y la felicidad.

Feliz de verdad: historia de una hija

Makenzie Rath es la hija de Kimberly Rath, madre trabajadora, presidenta y cofundadora de Talent Plus (www.talentplus.com), una empresa de Lincoln (Nebraska) que se ocupa de asesoría en recursos humanos a nivel mundial. Makenzie nos cuenta su experiencia:

«Una ventaja enorme de tener una madre que trabaja es que todos somos muy independientes. Mis hermanos y yo aprendimos muy pronto a decidir cada uno por sí mismo. Por ejemplo, si yo me quería cortar el pelo, tenía que consultar mi horario y pedir cita en la peluquería. Además, aprendimos enseguida a organizar el tiempo y a no malgastar nuestro dinero. Mi madre nos orientaba y después nos tocaba a nosotros seguir sus consejos, ponerlos en práctica y hacer las cosas. Otra ventaja fue que pudimos viajar mucho. La acompañamos en muchos de sus viajes por todo el mundo y conocimos otras culturas. Gracias a los viajes empezamos a darnos cuenta enseguida de lo grande que es el mundo y de las oportunidades que hay esperándonos ahí fuera [...]; y al final del día, toda la familia tenía que trabajar en equipo para sacar la casa adelante».

Las madres marcamos el ambiente de nuestros hogares. Nuestra felicidad nos ayuda a criar a nuestros hijos felices, sanos, equilibrados y orientados hacia el éxito. Por otra parte, aunque tú te sientas cómoda con tu decisión de seguir trabajando, los momentos difíciles son inevitables. Casi todas hemos tenido que enfrentarnos a la penosa (y dolorosa) tarea de buscar una guardería y afrontar una lacrimosa despedida matutina, que además nos deja con un gran sentimiento de culpabilidad. Todas somos conscientes del tremendo sacrificio que supone tener que compartir el cuidado de los hijos con otras personas; pero, si el trabajo es un factor importante de nuestra felicidad, los pros superarán a los contras. Del mismo modo, si nuestra felicidad está en quedarnos en casa a cuidar de los niños y la familia puede permitírselo, a por ello.

Los estudios científicos aseguran que los hijos de madres trabajadoras no salen perdiendo

El desarrollo de los hijos de madres trabajadoras y el de los hijos de las madres que se dedican completamente al cuidado del hogar es exactamente igual. Los estudios científicos aseguran que el trabajo de las madres no perjudica a los hijos en ningún sentido.

Feliz de verdad: historia de un hijo

Rocco Fiorentino (el Little Rock), de 12 años, nos habla de su madre, una mujer trabajadora y feliz. Se llama Tina, y es directora ejecutiva de The Little Rock Foundation (www.tlrf.org), una organización sin ánimo de lucro que fundó con su marido con el objetivo de mejorar la calidad de vida de los niños invidentes o con discapacidad visual.

«Mi madre no recibe un sueldo por su trabajo, pero le pagan con algo mucho más valioso. Como voluntaria de The Little Rock Foundation, ayuda a niños ciegos o con defectos de visión, como yo, que soy ciego desde que nací. (Rocco nació prematuro, ¡y le dieron un 5% de posibilidades de sobrevivir!).

»Mi madre lo es todo para mí. Es muy cariñosa y entusiasta, y para mí es única. Se pasa todo el día hablando con madres que tienen hijos ciegos o con problemas en la vista, y eso les ayuda a darse cuenta de que hay esperanza para sus hijos. Prepara nuevos programas y actividades para estos niños, y a mí me encanta trabajar y compartir mis ideas con ella.

»Siempre escucha lo que tengo que decir. Siempre se toma muy en serio lo que le digo. Ella me ha enseñado a creer en mis sueños y a perseguir lo que quiero sin rendirme jamás. Dice que "cuando dedicas tiempo a alguien que lo necesita, obtienes una recompensa diez veces mayor en tu corazón".

»Mi madre es todo mi mundo. ¡Mi madre es mi héroe!».

(The Little Rock Foundation es una organización sin ánimo de lucro con sede en Filadelfia que concede becas universitarias y organiza colonias para niños invidentes o con problemas de visión. Asimismo, pone a disposición de los padres centros con recursos que los ayuden durante el crecimiento de sus hijos. Para descubrir la música prodigiosa del cantante, compositor y pianista Rocco, «el Little Rock», visita la página www.musicbyrocco.com).

«Lo que una madre aporte a la relación con su hijo es mucho más importante que la cantidad de tiempo que pase con él», afirma la doctora Aletha Huston, profesora distinguida de Desarrollo Infantil del departamento Priscilla Pond Flawn de la Universidad de Austin (Texas), y directora de una investigación que en 2005 estudió los efectos que podía tener en niños de edades comprendidas entre los 6 y los 36 meses el hecho de que sus madres trabajaran. El estudio analizó los casos de 1.053 madres de 10 ciudades distintas de Estados Unidos.

«Este estudio es uno de los primeros en considerar el tiempo que la madre dedica a sus hijos en la primera etapa de la infancia, que es cuando se desarrolla el apego decisivo hacia los cuidadores —explica Huston—. Durante este periodo también se espera que los niños aprendan lo que han de esperarse de sus cuidadores, como por ejemplo, cuánto pueden depender de los demás. En este momento, el papel de la madre es esencial, pero eso no significa que, para establecer una buena relación con su hijo, la madre tenga que pasar las 24 horas del día a su lado».[1]

El estudio de Huston demuestra que las madres que estudian o trabajan llegan a compensar el tiempo que pasan fuera de casa. Como media, las madres estudian o pasan fuera de casa unas 33 horas por semana, pero después están más tiempo con sus hijos en los días libres, ya que dedican menos tiempo a las tareas de la casa o a las actividades de ocio. Los niños crean los mismos vínculos con las madres que se dedican por completo al cuidado del hogar que con las que trabajan fuera de casa. Por lo que se refiere al desarrollo del lenguaje, la habilidad cognitiva o el desarrollo social, tampoco se hallaron diferencias.

El estudio de Huston también confirmó los resultados de un estudio que en 1999 llevó a cabo la doctora Elizabeth Harvey, quien por aquel entonces trabajaba para el departamento de Psicología de la Universidad de Connecticut y ahora trabaja en Amherts, en la Universidad de Massachusetts. Dichos resultados se publicaron en la revista de la Asociación Americana de Psicología, *Developmental Psychology* [Psicología del desarrollo].[2] El estudio se realizó con 12.000 mujeres y sus hijos, a los que se siguió durante dos décadas. Harvey no encontró grandes diferencias entre los hijos que se habían criado con madres que trabajaron durante sus primeros tres años de vida y aquellos cuyas madres no trabajaban. Los hijos de las madres trabajadoras obtuvieron una puntuación ligeramente más baja en las pruebas de vocabulario y de aprendizaje individual, pero la diferencia era tan pequeña que desapareció con el tiempo. De hecho, el estudio dice: «Hay evidencias que apoyan la hipótesis de que el empleo de los padres afecta positivamente al desarrollo de los niños gracias al aumento de los ingresos familiares».

Sentimiento de culpa de las madres trabajadoras

Estelle, una madre de unos cuarenta años y con una hija de 11, todavía recuerda la mañana en que su hija, que nunca lloraba, aprendía a dar sus primeros pasos. «La dejé en el aula de la guardería y cerré, pero ella se tiró, literalmente, contra la puerta, llorando. La oía gritar y aporrear la puerta. Me desgarró el corazón. Sabía que Anna estaba así porque no había dormido bien la noche anterior, y me sentí fatal».

Casi todas hemos tenido que enfrentarnos alguna vez a una angustiosa despedida (y al sentimiento de culpa que conlleva) como la de Estelle. Pero, por cada uno de esos dolorosos momentos, podremos recordar otro feliz. Todos los días, cuando Tara deja a Sam en preescolar, ve la alegría de su hija. «Se despide de mí agitando los brazos desde la puerta y me dice "Adiós, mamá", antes de que cierre la portezuela del coche —dice Tara—. Y después, por la noche, está encantada de verme. Sale corriendo, me abraza y siempre me dice que me ha echado de menos».

Claudia recuerda lo enriquecedor que fue para su hijo: «Cuando Max estaba en preescolar, yo me sentí culpable hasta la tarde en que fui a la primera reunión con los maestros. Mi hijo, de 4 años, me cogió de la mano y me enseñó, orgulloso, cómo había resuelto todos los puzles y juegos de matemáticas del aula. Luego me presentó a sus maestros y a todos los niños de su clase. Lo llamaban "el Gran Montessori". Me di cuenta de que no habría aprendido tanto si se hubiera quedado en casa conmigo».

Liz, una madre trabajadora de Delaware que tiene cuatro hijos, nos ofrece su sabio consejo para evitar cualquier tipo de despedida traumática y el sentimiento de culpa que se pueda derivar de ella: «No los lleves nunca y ve a recogerlos siempre». El marido de Liz es el que lleva a los niños todas las mañanas. Los niños no sienten la misma intensidad emotiva cuando se despiden de sus padres que cuando lo hacen de sus madres; así que, ¿por qué no aprovecharlo?

Sentimiento de culpa de las amas de casa

Si bien es raro oír hablar de ello, las amas de casa también se sienten culpables. Sencillamente, es parte de la maternidad, y los estudios lo demuestran. «El 95% de las mujeres dicen que se sienten culpables como madres», tal y como demuestra el análisis de las respuestas de cientos de madres a las que J. Bort, A. Plfock y D. Renner entrevistaron para su libro *Mommy Guilt: Learn to Worry Less, Focus on What Matters Most, and Raise Happier Kids* (Nueva York, Amacom, 2005).

Los hijos quieren y echan de menos a sus madres cuando no están con ellos, y nosotras también los queremos y los echamos de menos. Por esta razón, las madres trabajadoras, como las no trabajadoras, se entristecen cuando se pierden una función del colegio o cualquier otra actividad que haya podido organizar la escuela. Pero el sentimiento de culpa también puede llegar por otros motivos.

Lori, de unos treinta años, es ama de casa y madre de tres hijos (de 8, 4 y 2 años respectivamente). «Voy al gimnasio y hago ejercicio todos los días. Mientras tanto, mis hijos se quedan en la guardería. Tienen una maestra estupenda. No me gusta dejarlos allí, pero se trata de mi salud, y eso también es importante».

Expectativas poco realistas

En muchos países, la mayoría de las mujeres ha crecido con el ideal de la madre ama de casa. La televisión nos transmitía como ideales culturales a perfectas amas de casa y madres que aparecían en distintas series. Se les puso en un pedestal, se las glorificó y adoró por su perfección, y se suponía que todas teníamos que ser como ellas. Si tu madre trabajaba, lo más normal era que le guardaras rencor porque estabas convencida de que debía quedarse en casa, como todas las demás madres. Ése es el condicionamiento de la sociedad en general. En otras culturas, se le da más valor al papel del padre y del resto de la familia y, en consecuencia, las madres trabajadoras se sienten menos culpables porque las expectativas de los hijos son más realistas.

Sofía, de 33 años, es una madre trabajadora de Buenos Aires que comparte la responsabilidad del cuidado de los hijos al 50% con su marido. Asimismo, cuenta con la ayuda de una niñera, de su madre y de su suegra. Otra mamá de Buenos Aires, María, de 42 años, no tiene niñera, pero

dice que comparte el cuidado de los hijos en una pro-
porción de «50-50 o 60-40» con su marido (que se lleva
el 60). En el otro extremo del mundo, en Shanghai, Kathy, una mujer trabajadora de 40 años, es madre de dos
hijos y su marido viaja mucho por motivos de trabajo.
Además de la niñera, «algunos familiares suelen venir y
quedarse meses enteros para ayudarme».

Ya hemos hablado de la importancia de pasar un
«tiempo de calidad» con los hijos. Sin embargo, éste es un
término que a veces se malinterpreta: algunas personas
creen que se trata de dedicar todo el tiempo que pasan
con sus hijos a juegos educativos, como las tarjetas didác-
ticas; y, por otra parte, hay quienes piensan que una media hora de «calidad» con sus hijos equivale a pasarse las
veinticuatro horas con ellos. En el fondo, como casi todo
lo que se refiere a la buena educación y desarrollo de los
hijos, la respuesta es personal y se deriva del equilibrio y
del sentido común.

Sin lugar a dudas, a los niños les encantaría pasar las
24 horas de los 7 días de la semana con sus padres. No
obstante, una madre que esté constantemente presente
y disponible terminará agotada, y tampoco es lo mejor
para los hijos. Las madres, trabajen o no, necesitan tiempo para recobrar las fuerzas de vez en cuando y así poder
darles lo mejor de sí mismas. No se puede ser un modelo
de felicidad si se está demasiado cansada para ser feliz.

Feliz de verdad

Heather tiene tres hijas y se ha dedicado por completo al cuidado de la casa durante diez años. Aunque su madre hubiera estado siempre en casa con ellas, ella y sus dos hermanas están convencidas de que también han de contribuir de un modo significativo al desarrollo de la comunidad.

«Era como si tuviera que ser el padre y la madre —dice Heather. Ella estaba muy contenta de poder ocuparse de los niños todo el día, pero al mismo tiempo, se sentía incompleta por tener que quedarse siempre en casa. Con una licenciatura en Derecho por la Univesidad de Harvard y procedente de una familia filantrópica y de éxito, era consciente de que su papel en la vida no podía limitarse al cuidado de los hijos. Su frustración fue aumentando con los años, hasta que terminó perjudicando a su familia—. Intenté que mis hijos no notaran mi frustración, pero sé que a veces estaba tan irritada que lo pagaba con ellos».

En cuanto el más pequeño empezó a ir a preescolar, Heather se presentó voluntaria para colaborar en la oficina del senador del estado. Sin esperárselo siquiera, le propusieron que se presentara a las elecciones. La campaña fue un gran proyecto familiar —a los niños les encantó ayudarla activamente en la campaña—, pero a Heather le preocupaba tener que pasar tantas tardes fuera de casa. Ahora que es senadora del estado, Heather está encantada. Siente que está haciendo lo que

(continúa)

tenía que hacer, y su familia está muy orgullosa de ella. Heather pasa un tercio de su tiempo en el capitolio del estado; pero consigue llevar a los niños al colegio por las mañanas y también suele estar ya en casa cuando llegan. No le gusta tener que perderse algunas actuaciones o eventos deportivos del colegio, pero dice: «Estoy mucho más contenta ahora porque sé que soy una madre mejor que cuando estaba siempre en casa y me sentía frustrada. Admiro a las madres que son capaces de sentirse realizadas dedicándose por completo a las tareas del hogar. Yo no podría».

Una buena madre: definición

¿Qué es una «buena madre»? Hicimos esta pregunta a cientos de madres trabajadoras. Aquí tenéis algunas de las respuestas:

- Una buena madre es la que prepara a sus hijos para que hagan el bien y lleguen más allá de donde ella ha llegado en este mundo. Es la madre que enseña a sus hijos a ser independientes y amables, y a ser las mejores personas que puedan llegar a ser. Es la madre que les enseña a ser felices. Pero una buena madre sabe que ella no es la responsable de la felicidad de sus hijos. —Nancy, dos hijos. Chicago (Illinois).
- Una buena madre es la que alcanza sus metas. Cuida de sus hijos, está pendiente de ellos, se sacrifica y es cariñosa. No hace falta dinero para ser una bue-

na madre. Se necesita un vínculo emocional, amor y coherencia. Una buena madre brinda a sus hijos apoyo y cariño. —Debra, dos hijos. Tucson (Arizona).

- Una buena madre está presente, es atenta y comprensiva, no pierde el control y sus hijos siempre pueden confiar en ella (siempre estará allí cuando la necesiten, por encima de todo). Les enseña a ser considerados y buenas personas. Les ofrece amor incondicional y les dice que los quiere. Les enseña a ser responsables de sus actos. Les enseña lo duro que es la vida. Una buena madre siempre es sincera y honesta. —Julie, dos hijos. Tucson (Arizona).

- Una buena madre es la que enseña a sus hijos (y los ayuda) a ser la mejor versión de sí mismos. Les inculca los valores necesarios para ser buenas personas. Y todo esto no tiene nada que ver con tener un trabajo o no. —Robin, tres hijos. Chicago (Illinois).

- Una buena madre protege a sus hijos, aunque no en exceso. Es cariñosa y acompaña a sus hijos en su proceso de desarrollo y maduración. Les permite crecer. Enseña con el ejemplo. Les da amor, seguridad y tranquilidad. —Sofía, dos hijos. Buenos Aires (Argentina).

- Una buena madre es la que entiende las necesidades de sus hijos. Les brinda seguridad y protección, pero no hasta el punto de entrometerse en sus vidas. Hace que sus hijos se sientan amados y respaldados. Es un ejemplo para ellos, y les enseña que la vida está llena de oportunidades. —Yaarit, dos hijos. Atlanta (Georgia).

«Una madre "de verdad" es coherente con sus valores y cuenta con las sencillas y poderosas armas que le permitirán enseñarles a tener confianza en sí mismos, a ser independientes y felices», afirma Michelle Borba, doctora en Pedagogía, en su libro *12 Simple Secrets Real Moms Know: Getting Back to Basics and Raising Happy Kids* (Jossey-Bass, 2006). Borba describe a las buenas madres como aquellas que saben dar y recibir amor incondicional. Son madres que han encontrado su propia felicidad y, gracias a ello, son capaces de llenar la casa de alegría.

En su libro, Borba nos ofrece más detalles de lo que significa ser una madre «de verdad»:

- Las madres de verdad llenan la casa de alegría porque, al haber encontrado la felicidad, no necesitan tanta pretensión ni fingimiento para seguir adelante.
- Las madres de verdad no se echan la culpa de las cosas y están menos nerviosas porque no tratan de cumplir con los modelos de perfección que intentan imponerles los demás.
- Las madres de verdad dan a sus hijos la oportunidad de descubrir sus aficiones e intereses, y por eso se las quiere más.

El trabajo es una parte esencial de la felicidad de cualquier mujer. Algunas se sienten vivas y satisfechas gracias al estímulo intelectual que les proporciona el trabajo; mientras que otras encuentran la felicidad sintiéndose útiles en un ámbito más amplio que el de la familia. Si bien algunas mujeres no necesitan trabajar para mantener a su familia, lo hacen por la independencia económica que les proporciona el trabajo, que es una parte esencial de su felicidad. Por otra parte, la felicidad está completamente ligada al trabajo cuando una mujer es consciente de cuáles son sus aspiraciones en esta vida y el trabajo le ayuda a realizarlas.

¿Menos es más?

¿Te has parado a pensar alguna vez cómo te gustaría que te recordaran tus hijos de mayores? ¿Te gustaría que fuera como a una madre comprensiva que siempre estaba ahí para escucharlos y darles consejo, o como una madre frenética que los llevaba de la escuela al entrenamiento y del entrenamiento a las competiciones?

Historia de una madre: comida casera

Un alto cargo directivo de una famosa empresa de seguros médicos nos contó una historia sobre cómo le gustaría que sus hijos la recordaran cuando se tomó un descanso durante uno de los años de escuela de los niños.

Kathy tenía ganas de preparar una comida especial para su marido y sus dos hijos, con la esperanza de que los niños pudieran tener un buen recuerdo de cuando su madre estaba en casa.

Un día, Kathy volvía tarde de una cita y pensó en cómo podría ganarse unos cuantos puntos preparando una buena comida casera, aunque no tuviera mucho

(continúa)

tiempo. Entonces vio un restaurante de comida para llevar, y entró para comprar la cena.

Una vez a salvo en casa, antes de que llegaran los niños, Kathy vació las bandejas de puré, salsa, verduras, pollo asado y bizcocho, y lo colocó todo muy bien en sus fuentes y ensaladeras. Cuando terminó de poner la mesa, daba la impresión de que se había pasado todo el día en la cocina. Kathy les sirvió la cena encantada, sin decir que la había comprado.

Cuando los niños se abalanzaron sobre el puré en salsa, sonrieron y dijeron: «Mamá, esto está buenísimo. Tienes que hacerlo más veces». Kathy se alegró de no haber dicho nada, ya que había comprado la comida y servido la mesa con el mismo cariño con el que la habría cocinado. De modo que no podía desvelar su secreto para no decepcionarlos. Fue un secreto muy bien guardado durante años, puesto que Kathy pensaba que no tenía ningún sentido decirles que habían cenado comida para llevar aquella noche, o tantas otras noches desde aquel día. Lo que de verdad importaba era que la familia hubiera podido disfrutar de una cena juntos, y no quién la hubiera preparado.

Kathy volvió a trabajar, y siempre disfruta al recordar que lo que de verdad apreciaron sus hijos fue poder cenar todos juntos, y no que fuera comida casera.

Los hijos de Kathy ya están en la universidad, pero ella sigue riéndose de hasta qué punto se preocupa por parecer la perfecta madre ama de casa. Ahora los «niños» vuelven los fines de semana y las vacaciones con sacos llenos de ropa sucia y la esperanza de comer «comida casera» con papá y mamá. Ahora que están a punto de convertirse en adultos, saben apreciar el valor de cada instante que puedan pasar todos juntos. Lo que más les gusta es disfrutar de esa «comida casera» que, como dice Kathy, suele ser una mezcla de comida casera y comida para llevar. ¡La felicidad viene de una comida juntos, no de quien la cocina!

Las estadísticas demuestran que el estilo de vida americano, por ejemplo, que prevé un horario repleto de cursos y actividades extraescolares, no está convirtiendo a los niños en personas más felices y agradecidas, sino más tristes y estresadas. Y la comunicación con los padres también se está perdiendo. A continuación os mostramos algunos datos de las estadísticas realizadas por organizaciones gubernamentales y privadas:

- Entre 1970 y 2004, el suicidio entre los adolescentes ha aumentado un 39%, según Child Trends, un centro de investigación independiente, no gubernamental, que estudia a los niños en todas sus etapas de desarrollo.[3]
- En 2003, el 29% de los estudiantes de entre 14 y 18 años dijeron que se sentían tristes o sin esperanzas casi todos los días durante largos periodos de tiempo (dos o más semanas seguidas).[4]
- El 82% de los niños de entre 12 y 15 años y el 67% entre 8 y 11 años dicen que ocultan cosas a sus padres porque «no los entenderían», según la Encuesta Nacional de Adolescencia y Juventud.[5]

Todos queremos lo mejor para nuestros hijos y estamos dispuestos a ayudarles en lo que sea. Lo que nuestros hijos y estas estadísticas nos están diciendo es que lo mejor que podemos hacer por ellos es encontrar nuestra propia felicidad y serenidad para así compartir con ellos la calma y la alegría.

Ayudar a prosperar a nuestros hijos

La labor de los padres se parece mucho a la del encargado del personal de una empresa. Los buenos padres y los buenos jefes van a la par. Esto no quiere decir que la familia sea un negocio, sino que es importante establecer unos buenos objetivos para la familia (tu equipo), apoyarla y dejar que los niños crezcan, se desarrollen y aprendan a convertirse en personas independientes.

Como ya dijimos, las madres son las directoras ejecutivas de la familia y marcan el tono emocional de sus hogares. También sabemos, gracias a la doctora Barbara L. Fredrickson —profesora distinguida de Psicología y principal investigadora del laboratorio de Emociones Positivas y Psicofisiología de la Universidad de Carolina del Norte—, que las personas prosperan cuando están rodeadas de *positividad*. El triunfo (o prosperidad) es el estado en el que las personas dan lo mejor de sí mismas en el trabajo, cuando son más creativas y productivas. En el trabajo, intentamos que nuestro equipo prospere. Según la investigación de Fredrickson, cuando experimentamos tres emociones positivas por cada emoción negativa, aumenta nuestra creatividad y damos lo mejor de nosotros mismos. Todo lo que quede por debajo de una relación de tres a uno fracasa.

Ésta es la «receta de la prosperidad humana» y funciona para todos a cualquier edad. (Por esta razón, a fin de estimular la creatividad de sus empleados, los empresarios más inteligentes crean un ambiente de trabajo positivo). Del mismo modo, los padres que quieran lo mejor para sus hijos tendrán que esforzarse por crear un ambiente familiar que les ayude a prosperar. Para ello, han de comentar las cosas que hacen bien y hacerles notar las cosas que ellos harían de otra forma. Y, por supuesto, decirles muy a menudo que los quieren, sin ningún motivo aparente.

Los padres han de ser un ejemplo del tipo de persona en que quieren que se conviertan sus hijos. Si quieres que tus hijos lleguen a ser adultos felices, tienes que enseñarles cómo vive un adulto feliz. Al igual que un jefe es un ejemplo de los valores de la empresa, un padre tiene que vivir según los valores que quiere transmitir a su hijo. Si quieres que tu hijo descubra la alegría de los sencillos placeres de la vida, primero tienes que descubrirla tú y compartir esa alegría con ellos cada día. Cuando eliges entre la alegría o la culpa, entre la tranquilidad o la rabia, entre la autoestima o la crítica a ti mismo, les estás enseñando a elegir. En vez de decirle a tu hija «no cometas los mismos errores que yo», enséñale cómo te has recuperado de ellos y has vuelto a encauzar tu vida por el camino de la felicidad.

Tus hijos ven lo que haces. Si el trabajo te llena y te hace feliz, tus hijos lo verán y lo entenderán.
—Barrett Avigdor

Modelos para nuestros hijos

Si quieres que tus hijos aprendan a cuidar de sí mismos, a ser independientes y a perseguir sus sueños, tú tienes que hacer lo mismo. Si para ello debes trabajar fuera de casa, esto formará parte de tu papel de madre. No le restará valor: se lo añadirá.

Genevieve Bos, cofundadora de la revista *PINK* y madre virtual de las muchas mujeres a las que ayuda en su trabajo y en sus vidas, recuerda la historia de la presidenta de Islandia y la importancia del modo en que nos vemos a nosotras mismas como mujeres:

«Al salir de sus reuniones, suele encontrarse a un gran número de chicos que la esperan para formularle una pregunta: "¿Un hombre puede ser presidente?". Nunca se le habría pasado por la cabeza que su ejemplo pudiera llegar a causar un dilema como éste. Los chicos menores de 18 años nunca han visto a un hombre presidente en su país».

Si te sientes como una mártir por tener que quedarte siempre en casa para cuidar de tus hijos, les estás enseñando que tus necesidades y deseos son menos importantes que los suyos, y ése es el modelo que aplicarán en su futuro. Como también puede que se sientan culpables si no consiguen vivir a la altura de tus expectativas. Después de todo, si tú has sacrificado tu felicidad por ellos, sentirán que tienen una enorme deuda que pagar, en vez de esforzarse por encontrar el camino que les llevará hacia su propia felicidad.

Por el contrario, si haces lo que de verdad deseas con todas tus fuerzas —ya sea quedarte en casa o salir a trabajar—, estarás enseñando a tus hijos a luchar por lo que quieren y a ayudar a los demás del modo que consideren más adecuado. De esta forma, ellos también se sentirán libres de elegir. Y al luchar por lo que quieren, tendrán muchas más posibilidades de alcanzar la felicidad.

Feliz de verdad

A Kim Martin, madre de dos hijas, le encanta su trabajo y el atractivo intelectual y social que le procura. La presidenta y directora general de la WE TV dice que no quiere ni pensar en la jubilación. Y sus hijas, que nacieron mientras Kim trabajaba en The Discovery Channel, tampoco quieren que lo haga. De hecho, la menor quiere ocupar su puesto cuando sea mayor y no deja de decirle ¡que aguante hasta que ella llegue!

Las niñas están deseando ir a la universidad y ponerse a trabajar.

La brújula de la felicidad

Para transmitir nuestros valores a nuestros hijos, basta con ser lógicas y vivir conforme a nuestros valores. De este modo, aprenderán cuáles son y cómo llevar una vida coherente. Si somos partidarias de algo, les estamos proporcionando una orientación moral que los guiará en sus experiencias y los ayudará a convertirse en los adultos que queremos que lleguen a ser.

Otra cosa que tenemos que enseñar a nuestros hijos es a mantener el «nivel de felicidad». La clave del éxito de nuestros hijos es que estén rodeados de adultos que son conscientes de que cada uno es responsable de su propia felicidad. Al ayudarles a entender que la felicidad es una elección que deben tomar personalmente día a día, les estamos ayudando a tomar consciencia de la felicidad y, posiblemente, a lograr un control personal sobre la felicidad a largo plazo. Cuando dotamos a nuestros hijos de la «brújula de la felicidad», es decir, cuando les enseñamos lo que es, les ayudamos a descubrir lo que significa para ellos y cómo podrán contribuir a su felicidad cuando sean adultos, les estamos marcando el camino hacia el futuro.

Pausa de _coaching_ personal: valores de la familia

En su libro _12 Simple Secrets Real Moms Know: Getting Back to Basics and Raising Happy Kids_ (Jossey-Bass, 2006), la doctora en Pedagogía Michelle Borba, nos aconseja que nos sentemos con todos los miembros de la familia a reflexionar y decidir cuáles son los valores más importantes de la familia.

Nos aconseja, asimismo, que, una vez acordados, se establezca un proyecto o conjunto de acciones que los apoyen. Por ejemplo, si ayudar a los menos afortunados es un valor, se podría elegir un centro de caridad y el modo en que la familia pueda colaborar con él, tal vez recaudando fondos o participando en actividades de voluntariado.

Según las estadísticas, los padres establecen los valores, pero no los ponen en práctica. En una encuesta realizada en 2004 a más de 24.700 alumnos de enseñanza secundaria, el 66% dijo que solían copiar en los exámenes y el 93% que es muy importante ser buena persona.[6] Por lo visto, muchos de ellos han perdido la conexión entre ser buenas personas y no copiar en los exámenes.

Tanto en casa como en el trabajo, transmitir valores significa establecer reglas claras, justas y coherentes. Vivimos en una sociedad en que la gratificación inmediata se ha convertido en la regla, y ha dejado de ser la excepción. Puede que a veces te dé la impresión de que en tu barrio ya nadie sigue ciertas reglas, ¿y quién quiere que se le acuse de ser el padre más antipático del mundo o que se le diga que está anticuado? Y, sin embargo, en el fondo de tu corazón sabes lo que está bien y lo que está mal (al igual que tu hijo). Debes establecer unas normas coherentes con tus valores morales. No estás perjudicando a tu hijo, sino creando un marco moral que lo orientará en su vida de adulto. El marco moral es una «brújula de la felicidad», un elemento esencial para un futuro rebosante de felicidad.

Enseña a tu hijo a quererse y a aceptarse a sí mismo

Aprender a quererse y a aceptarse por quienes somos es otro elemento esencial para la felicidad. Para que tu hijo aprenda a quererse y a aceptarse a sí mismo, tienes que conocerlo y ayudarlo a desarrollar sus puntos fuertes. La obligación de ser perfectos es una presión tremenda que suelen sentir los niños. Al tiempo que los animamos a hacerlo todo lo mejor posible, tenemos que recordarles que los queremos por quienes son, y no por sus logros. Pero será mucho más fácil si también nos lo aplicamos a nosotras mismas. Tú eres mucho más que la suma de tus logros o lo que ganas. Conforme vayas aprendiendo a amarte y a aceptarte a ti misma, con tus imperfecciones y limitaciones, irás enseñándoles a tus hijos a hacer lo mismo.

Mientras los ayudas a aprender a amarse y a respetarse a sí mismos, destacando sus puntos fuertes y su talento sobre cualquier tipo de imperfección, estarás construyendo las bases para su prosperidad. El resultado será una mayor capacidad de reconocer la satisfacción en la vida y, por tanto, un paso enorme hacia la felicidad.

En su libro *Your Child's Strengths* (Viking Penguin, 2008), Jenifer Fox, educadora y directora de un colegio de Nueva Jersey, sostiene que la estandarización en los colegios y la importancia que damos a las notas hace que nuestros hijos tengan cada vez más dificultades para descubrir qué es lo que de verdad les apasiona. Uno de los deberes de los padres es ayudarles a conocer qué es lo que quieren hacer de mayores.

Las madres que ayudan a sus hijos a desarrollar la autoestima y la seguridad en sí mismos son las que, ya sean trabajadoras o no, ven a sus hijos como son de verdad y les transmiten el deseo de descubrir, desarrollar y fortalecer su identidad.

A mí se me dan muy bien las cosas que más me interesan, como el deporte y los estudios. En otras cosas no soy tan bueno, como en música. Pero no me importa, porque nadie puede ser bueno en todo.
—Harrison, 13 años

Fomenta la independencia y la autoestima

Todas queremos que nuestros hijos crezcan y se conviertan en adultos independientes y seguros de sí mismos. Sin embargo, el número de jóvenes de 26 años que siguen viviendo en casa de sus padres se ha duplicado desde 1970. Tal vez sea porque las madres hacemos demasiado por ellos. Con las mejores intenciones, nos preocupamos tanto por el futuro (de los resultados) que nos olvidamos del presente (de su desarrollo), y la consecuencia es que nuestros hijos empiezan a depender completamente de nosotras. Cuando les hacemos los deberes o los preparamos para un examen tenemos que tener cuidado, porque puede que se esté creando una dependencia que les haga sentir incapaces de triunfar sin nuestra ayuda.

Los hijos de madres trabajadoras suelen ser más independientes: «Si tu madre está trabajando, tienes que hacer los deberes tú solo, y eso te motiva y te hace más independiente», dice Daniel, de 13 años, cuya madre trabaja media jornada. Otro chico, Matt, de 13 años, cuya madre trabaja en una auditoría de cuentas, está de acuerdo: «A mí me va mejor en el colegio porque mi madre trabaja. Como no está conmigo en casa, tengo que hacer los deberes yo solo y así aprendo más, mientras que los chicos que tienen a sus madres en casa siempre tienen a alguien que los ayude, como si fuera un tutor, y se esfuerzan menos».

Acepta a tus hijos tal y como son

Las madres han de querer a sus hijos tal y como son, y no como a ellas les gustaría que fueran. Éste no es un mantra para las madres trabajadoras, sino para todas las madres y todos los padres del mundo. Y lo necesitamos, porque vivimos en un mundo de competitividad en el que los adultos, quizá infelices o algo decepcionados con sus vidas, tienden a usar a sus hijos para competir con los demás. Vivimos indirectamente a través de ellos. Todos los que hayan asistido a un acontecimiento deportivo en el que participaban sus hijos lo habrán visto.

Aunque tu hijo no sea el más dotado ni el más guapo, compartes con él algo único que jamás podrás compartir con nadie más. El vínculo que tienes con cada uno de tus hijos es una oportunidad y una invitación a dar y recibir amor incondicional. Poder amar a alguien sencillamente por ser quien es, por el mero hecho de que esa persona exista, poder amarla con sus manías y defectos, es un regalo extraordinario para los dos. Es pura alegría.

Amor incondicional

Ser madre es como tener varias personas a tu cargo en el trabajo, pero con una diferencia... el amor incondicional.

Las madres que acaban de tener un hijo se dan cuenta enseguida de que el bebé es capaz de reconocerlas por su olor, por el sonido de su voz y por la sensación que les transmite estar en sus brazos. Darte cuenta de que eres capaz de tranquilizar a tu bebé mejor que nadie, por el simple hecho de ser quien eres, es un descubrimiento asombroso. Por muchos defectos que tengamos como madres, ese vínculo siempre está ahí. Al demostrar amor incondicional a nuestros hijos, les enseñamos a amarse a sí mismos, que es una condición ineludible para alcanzar la felicidad. Y también les permitimos amarnos incondicionalmente. El amor incondicional es un bien muy escaso. Tan sólo nos llega de nuestros padres y de nuestros hijos.

Plasma la alegría

Enseñamos a nuestros hijos a ser felices cuando lo somos nosotras. Las madres sabemos que somos un ejemplo para nuestros hijos, que nos están observando todo el tiempo. Si queremos que sean felices, ¿por qué no reconocemos la importancia de ser felices nosotras y así poder compartir con ellos nuestra alegría?

Feliz de verdad

Kelsie, de 15 años, y Jaylyn, de 11, nos cuentan qué es lo que más les gusta de su madre, Tammie, y de su trabajo como técnico de diálisis:

- Mi madre se ríe mucho y hace que se rían los demás. —Kelsie.
- Mi madre ayuda a la gente para que no se muera. Y también ayuda a las familias porque les explica qué pueden hacer ellos para ayudar. A mi madre le encanta su trabajo. —Jaylyn.

Para ser feliz, no hacen falta unas largas vacaciones o un hotel de lujo. Puedes disfrutar con tus hijos con las cosas más sencillas, como pararte a tomar algo juntos a la salida del colegio o jugar a algún juego de mesa el sábado por la tarde. En el año 2000, *USA Today* realizó una encuesta a 84.000 estudiantes, y a dos tercios del grupo comprendido entre los 6 y los 12 años le gustaría pasar más tiempo con sus padres. Querían pasar más tiempo con ellos sin tener que discutir por las notas o por cómo organizarse para ir al fútbol, a las clases de piano y/o a las de ballet.

Piensa en el tiempo que pasas con tu hijo como si fuera una perla. Cada momento feliz es una perla que puedes poner en tu collar. No todos los momentos tienen que ser perfectos. Pero no te desanimes por las discusiones o las prisas. Intenta engarzar una perla cada día.

Marshall Goldsmith intentó hacer un experimento hace unos años para ver si conseguía pasar más tiempo con sus hijos. Goldsmith es un famoso escritor y tutor de *coaching* (entre sus libros destaca *What Got You Here Won't Get You There*). Goldsmith se aseguró de que cada uno de ellos reservara un momento en su agenda para pasar un rato a solas con él todas las semanas. Tres años más tarde, quiso comprobar si aquello funcinaba. Los dos, tanto su hija como su hijo, que ya estaban en el instituto, le dijeron: «¿Sabes, papá? Creo que has hecho un gran trabajo. Te queremos mucho, pero ¡ahora nos gustaría pasar más tiempo con nuestros amigos!».

> *Como mi madre trabaja, valoro mucho más el tiempo que puedo pasar con ella que si la tuviera a mi lado siempre. Cuando vuelve de sus viajes, me alegro mucho más de poder estar con ella y me siento mucho más agradecido por el tiempo que podemos pasar juntos.*
> —Harrison, 13 años

Desde el punto de vista de los niños

A menudo oímos hablar de «lo mal» que lo pasan los hijos de madres trabajadoras, y a nosotras se nos critica por perseguir nuestros sueños. Así pues, hemos pensado que lo mejor sería preguntarles directamente a ellos cuáles son las ventajas y las desventajas de tener una madre trabajadora, si les gusta que sus madres trabajen o no, y si se sienten distintos o menospreciados porque sus madres no estén siempre en casa con ellos.

La mayoría nos habló de lo bien que estaban, de lo felices que eran sus vidas y de lo contentas que estaban sus familias porque sus madres trabajaran. Les gustaba que sus madres estuvieran tan contentas y se sintieran tan a gusto con sus trabajos. También nos dijeron cuánto las querían, nos hablaron de la relación tan especial que mantenían con ellas, y del modo tan especial en que sus madres los estaban educando.

Feliz de verdad

La madre de Alex siempre ha trabajado. Ahora él tiene 17 años y nos relata su experiencia, lo bueno y lo malo que tiene ser hijo de una madre trabajadora, y por qué él cree que ha llegado a ser mejor gracias a ello.

«Cuando tenía 5 años no me gustaba que mi madre se fuera a trabajar. Me gustaba estar con ella y nos divertíamos mucho juntos. Tampoco me gustaban mucho mis maestros, así que me hubiera gustado poder quedarme

(continúa)

en casa con ella. Mi madre se iba antes de que yo me despertara y volvía a casa una hora antes de que tuviera que acostarme. Teníamos una niñera muy buena que jugaba conmigo todo el tiempo, pero yo seguía echándola de menos.

»Ahora que soy mayor, lo veo todo de otra forma. Mi madre gana dinero con su trabajo, consigue darnos una vida mejor y se mantiene en sintonía con el mundo real. Trabajar es sano. Yo creo que es peor tener una madre que se pase toda la vida en casa. Cuando tu madre trabaja te haces más independiente. Tienes que aprender a estar con otras personas porque tu madre no puede estar contigo todo el día. Lo peor de tener una madre trabajadora es que no puedes verla siempre que quieres; y tampoco está siempre ahí para hablar contigo; a veces, si llega cansada del trabajo, no nos divertimos mucho cuando vuelve.

»Pero, si mi madre no hubiera trabajado, yo no sería tan independiente ahora, y no sabría resolver tan bien mis problemas. No me preocupa tener que irme a otra ciudad para ir a la universidad, porque como mi madre viaja tanto, estoy acostumbrado a estar solo.

»Yo también he viajado mucho, porque mi madre acumula muchos kilómetros con todos sus viajes. Y eso, desde luego, me ha hecho ser como soy.

»Cuando me case y tenga hijos, quiero que mi mujer trabaje. Se lo merece y, además, seguro que nos vendrá muy bien tener ingresos extras. Si hay alguna mujer que no lo tenga claro, yo le aconsejo que trabaje. Los adultos se sienten mejor cuando trabajan».

A los niños, sobre todo cuando son pequeños, les encanta estar con sus madres y las echan de menos cuando se van a trabajar. Pero los más mayores nos dijeron que implica muchas ventajas el hecho de que sus madres trabajen, por lo bien que se sienten ellas y por lo que ganan. Saben que sus madres los quieren, y están orgullosos de que puedan tener una vida feliz fuera de casa. Y a todos, sin importar la edad, les gustan los beneficios y la seguridad que sus madres son capaces de proporcionar a la familia.

En sus palabras:

- No es sólo por el dinero. Como mi madre trabaja, podemos hacer muchas cosas. Lo único malo es que cuando era pequeña y no llegaba a las galletas, mi madre no podía alcanzármelas. —Emma, 11 años.
- No es verdad que no quieran a sus hijos. Mi madre trabaja y yo sé que me adora. Trabaja para nuestro bien. —Matt, 13 años.
- Mi madre no puede estar siempre con nosotros, pero mi padre y mi abuela, sí. Además, mi madre es nuestra «gran jefa scout», y con eso basta. —Megan, 10 años.
- No me gustaba ir a la guardería; pero pude hacer muchas cosas, como viajar, porque mi madre trabajaba. —Lis creció mientras su madre, soltera, trabajaba. Ahora tiene 27 años.
- No me gusta decirle adiós por las mañanas. Creo que lo más difícil para ella es su trabajo, porque si lo pierde se pondrá triste porque no podremos ir a Hawai en verano. A mí me encantaría ir a Hawai. —Robert, 7 años.
- No paso demasiado tiempo con mi madre, así que

cuando estoy con ella me encanta, los dos nos sentimos muy bien. No quiero que deje de trabajar. —Philip, 10 años.

- Me alegra que pueda hacer lo que le gusta. Mi madre me repite todos los días que le encanta su trabajo. —Jonah, 14 años.
- La única diferencia es que los hijos de las amas de casa pasan más tiempo en casa y sus madres hacen más cosas, como limpiar, cocinar y salir a pasear con ellos. Pero mi madre trabaja desde casa, así que es igual. —Victoria, 10 años.
- Yo creo que lo más difícil para mi madre es que le encanta trabajar y podría trabajar mucho más si no tuviera que quedarse a cuidar de mi hermano y de mí. —Harrison, 13 años.
- Pienso que lo más difícil para mi madre es que no puede pasar más tiempo con nosotros. Trabajar y pagarlo todo también es difícil. —Philip, 10 años.
- Yo creo que los padres deberían pasar más tiempo con sus hijos y dejar algunas horas para trabajar. —Verónica, 11 años.
- Lo de los desayunos en el colegio y las actividades extraescolares por la tarde no me gusta mucho, pero me lo paso muy bien con mis amigos. Además, mis padres me recogen en el colegio siempre que pueden. Y después llega el fin de semana. Es genial, vamos a todos lados y hacemos un montón de cosas juntos. —Sierra, 12 años.
- Sé que mi madre me quiere mucho porque me lo dice todos los días, siempre viene a los partidos y siempre me pregunta adónde voy y con quién estoy. —Alex, 17 años.

Makenzie Rath, en el último año de carrera en la Universidad de Nebraska, sabe que su madre, Kimberly Rath, es feliz por ser madre y por su carrera como presidenta y cofundadora de Talent Plus, una sociedad de servicios integrales en recursos humanos con sede en Nebraska.

«Mi madre está muy orgullosa de su gran capacidad de iniciativa y de su habilidad para resolver todos los problemas que se le van presentando. Trabaja mucho y pone mucha dedicación en todo lo que hace... Y sí, ¡es feliz! Se pone muy contenta cuando celebra el éxito de los demás, el nuestro (de sus hijos) y el suyo, cuando ha trabajado mucho y consigue lo que se propone —dice Makenzie—. Nunca pierde de vista sus objetivos, pero también disfruta luchando por ellos. Y también se siente muy feliz cuando está con las personas a las que más quiere».

Balance final: ejercicios

DESARROLLA TUS INTERESES: DEL ÉXITO A LA SATISFACCIÓN

Intenta hacerles estas preguntas a tus hijos, en un ambiente tranquilo, por lo menos dos veces al año. Dales la oportunidad de responder a cada uno de ellos y muéstrate interesada, pero sin juzgar sus respuestas.

(continúa)

- ¿Qué te gusta hacer en el colegio?
- ¿En casa?
- ¿Con la familia?
- ¿Con los amigos?

Presta atención a sus respuestas para ver si hay alguna pauta que te pueda orientar sobre sus intereses. Los padres tenemos que descubrir los puntos fuertes de nuestros hijos para ayudarles a desarrollarlos y construir las bases de un futuro en que el éxito los llene de satisfacción.

TIEMPO DE CALIDAD

Intenta reservar un tiempo en tu agenda para tus hijos, para tu pareja y para ti misma, y ya verás cómo enseguida se convertirá en un tiempo que les asignas con mucha más regularidad. Algunos estudios demuestran que, si las madres trabajadoras se trataran a sí mismas y a sus familias como si fueran clientes, aprovecharían mejor el tiempo que pasan con sus seres queridos, así como el que se reservan para ellas mismas. Aunque tal vez no nos suene bien, el hecho es que al comenzar a tratar a nuestras familias (y a nosotras mismas) con el mismo respeto con que tratamos a los demás, empezamos a sentirnos mucho mejor.

Deja un sábado o un domingo libres y ponte de acuerdo con tus hijos para pasar la tarde en casa. Busca una actividad que os guste a todos.

Que no se te olvide que ahora mismo están creando los recuerdos de la niñez que los acompañarán durante toda su vida. Por muy ocupada que estés, seguro que encuentras un hueco para contarles una historia, acurrucarlos un rato o jugar a algo juntos.

Capítulo 7

Cuando las cosas se pongan difíciles, pide ayuda

Mi primer pensamiento por la mañana
y el último por la noche es para mis hijas.
A veces me gustaría tener una máquina de clonar.
—Primera dama Michelle Obama durante la campaña
electoral, 28 de julio de 2008, Chicago (Illinois).

Los seres humanos somos fuertes por naturaleza, puesto que estamos hechos para sobrevivir. Puede que ya no seamos los cavernícolas que tenían que protegerse de las manadas de lobos que merodeaban por los alrededores, pero seguimos siendo fuertes y estamos preparados para sobrevivir en el trabajo, en casa o donde sea. Además, el instinto de supervivencia de las madres es especialmente fuerte, ya que de lo más profundo de nuestro ser brota el instinto que nos lleva a alimentar y proteger a nuestros hijos. Ése es el vínculo que nos une a ellos, independientemente de si trabajamos o no.

Los resultados de la felicidad

Según un estudio que Leger Marketing llevó a cabo en 2004 para Wyeth Canada, una de cada cinco mujeres tiene problemas de depresión o ansiedad. Sin embargo, en ese mismo estudio, tres de cada cuatro mujeres dijeron que los síntomas se pueden superar. De las que han conseguido vencer sus problemas de depresión o ansiedad,

- el 87% dijo que su productividad había aumentado de un 90 a un 100%;
- el 86% dijo que estaban más motivadas;
- el 84% dijo que eran más eficientes en su trabajo;
- el 79% dijo que se sentían menos agobiadas en el trabajo;
- y el 75% dijo que había mejorado la calidad de su trabajo.

Fuente: cortesía de la Asociación Canadiense de Salud Mental.[1]

Cada una tiene su estilo y sus valores, pero todas tenemos la capacidad de sacar adelante a nuestros hijos. Puede que a veces el estrés y el agotamiento que conlleva estar pendientes de los niños, la escuela, el trabajo, las relaciones sociales, el dinero y todo lo demás nos supere, pero al final nuestra naturaleza de madres recupera el control de la situación. Asumimos los riesgos, luchamos y ganamos. Ésa es nuestra naturaleza. Y, cuando tomamos las decisiones adecuadas, siendo fieles a nuestros valores y disfrutando de las pequeñas cosas de la vida, nuestros hijos se convierten en ganadores, como nosotras.

Consejo para la felicidad: no te exijas más de lo que tú exiges a tus seres queridos. A ellos les permites y les pasas por alto muchas cosas. Tú también te lo mereces.

Equilibrio

Los cientos de madres trabajadoras entrevistadas que consiguen armonizar día tras día el trabajo, los niños y la familia, a pesar de las circunstancias o dificultades, dan testimonio de la fuerza y el coraje de las mujeres. Son madres solteras, casadas o divorciadas cuya fuerza y valores triunfan por encima de todo. Algunas han tenido que superar situaciones tristes y traumáticas, pero todas han aprendido a perdonar y a aferrarse a la alegría y la felicidad.

> *Deletrea la palabra «feliz», ¡e intenta no sonreír!*
> —Cathy Greenberg

Los retos de la vida sacan lo mejor de nosotras mismas como mujeres y como madres, independientemente de las circunstancias o de cuál sea nuestro trabajo. No sabemos lo que nos deparará la vida, pero todas podemos aprender de las dificultades.

Jessica Wright es general de división de la Guardia Nacional de Estados Unidos y ha recibido la medalla al mérito militar. Esta veterana militar, que lleva 35 años en el cuerpo, también es madre (su hijo está en la universidad) y esposa desde hace 26 años. Al reflexionar sobre su vida, Wright dice: «He sido madre, esposa y soldado, en este orden».

En su carrera y en su vida, Wright ha podido contar con la ayuda de algunos mentores, pilotos veteranos del Vietnam; y su familia también ha estado siempre a su lado. Cuando estaba embarazada, vivió con su hermano porque habían destinado a su marido a una base de ultramar. Wright ha seguido siempre el sabio consejo de su madre: «Si tú se lo permites, la gente te dará una oportunidad; lo que hagas luego con ella es cosa tuya».

El apoyo es importante

En muchas familias hay niños con necesidades especiales, ya sean derivadas de discapacidades físicas o intelectuales. En ambos casos, las madres han de dedicar el equivalente de un día más de trabajo a la semana al cuidado de su hijo, lo que representa un 20% más de trabajo al día. Pero esto no significa que tenga que sacrificar su felicidad, sino que pone aún más de manifiesto la necesidad de contar con un buen sistema de apoyo. Sola no se puede. Por otra parte, estamos inclinadas a pedir ayuda a otras mujeres. ¿Recuerdas el estudio sobre estrés hormonal de la Universidad de California del que hablamos en el capítulo 2? Cuando estamos estresadas, desarrollamos una tendencia natural a cuidar de nuestros hijos y a cultivar la amistad con otras mujeres, porque al hacerlo producimos hormonas que reducen nuestros niveles de estrés.

> **Pausa de _coaching_ personal: crea tu propia red de apoyo**
>
> No siempre es fácil pedir ayuda. Para que te resulte más fácil, hazte las siguientes preguntas:
>
> - ¿Qué ideas, pensamientos o creencias tengo que vencer para sentirme más libre de pedir ayuda?
> - ¿Qué persona de las que conozco cuenta con una buena red de personas en las que apoyarse y qué admiro de ella?
> - ¿Cómo me sentiría si yo también pudiera contar con una buena red de apoyo? ¿Cómo afectaría eso a mi vida?

A QUIÉN DIRIGIRSE

Si te has mudado hace poco o estás empezando a crearte una red de apoyo, aquí tienes algunas ideas de sitios a los que puedes dirigirte:

- **Centro social:** puede que tengan actividades adecuadas para tus hijos. Aunque no cuenten con escuela infantil, tal vez tengan un servicio de guardería u organicen actividades o programas de deporte los fines de semana. Además, esto te dará la oportunidad de conocer a otras madres que tengan hijos de la misma edad que el tuyo. Esas madres podrían entrar a formar parte de tu red de apoyo.
- **Universidad:** podrías poner un anuncio diciendo que buscas niñera o proponer una actividad que

pueda interesar a las madres trabajadoras. De este modo, tanto las madres como las estudiantes podrían contestar.

- **Deportes y actividades extraescolares:** podrías hablar con los padres de los niños que participan en dichas actividades o programas y poneros de acuerdo para hacer turnos para llevar y traer a los niños.
- **Miembros de la familia:** si no trabajan, podrían quedarse con los niños después del colegio cuando tú tengas que irte a trabajar.
- **Centro de estimulación temprana:** si tus hijos son muy pequeños, puedes apuntarlos y conocer a las madres de los demás niños.
- **Fiestas:** podrías organizar alguna fiesta con los amigos de tus hijos. Cuando sus padres vayan a recogerlos, invítalos a entrar para charlar un rato y conoceros mejor.

Historia de una madre

Jill Smart es una mujer de éxito, tanto en lo personal (tiene dos hijos, de 16 y 11 años respectivamente) como en lo profesional (es directora del departamento de recursos humanos de Accenture). Una parte esencial de este éxito radica en el sistema de apoyo con el que cuenta y en su capacidad de pedir ayuda.

«Tengo un marido estupendo. Sin él no podría mantener mi trabajo y ser una buena madre. No es sólo por lo mucho que me ayuda en casa. Él pone las bases necesarias para que yo pueda ser la madre trabajadora que quiero ser. Respeta mis decisiones y jamás me hace sentir culpable por nada. Mi marido me ayuda a crecer como persona.

»No me avergüenza pedir ayuda, ni en casa ni en el trabajo. Sé muy bien cuáles son mis debilidades, y eso me ayuda a ser una madre mejor. Todo lo que no esté relacionado directamente con mis hijos, se lo dejo a los demás. La niñera no les ayuda con los deberes, ni los lleva al médico, ni les prepara una tarta... eso me concierne a mí. Pero no he pasado la aspiradora en 20 años. Y en el trabajo, no me da miedo decir: "No puedo ir a la próxima reunión porque tengo que ir a la merienda que han organizado en el colegio de los niños". Al decirle a los empleados que voy a pasar la tarde con mis hijos, les estoy dando permiso para que también lo hagan ellos.

»Hace unos años habría ido a la reunión. Pero ahora que soy directora del departamento, creo que tengo la responsabilidad de decir que somos humanos y que nos tenemos que comportar como tales. Debo permitir que los hombres y las mujeres de la empresa tengan una vida. No se trata sólo de los hijos... también podrían necesitar un permiso para participar en un maratón o para llevar al perro a una exposición canina.

»Muchas mujeres tiran la toalla incluso antes de intentarlo. Ni siquiera intentan ser madres trabajadoras porque creen que no lo conseguirían».

Niños con necesidades especiales

Recordemos a Danielle, la propietaria del salón de belleza con tres hijos cuya vida prácticamente perfecta se derrumbó cuando su marido, Keith, sucumbió a las drogas. A pesar de haber visto cómo su marido, un hombre de éxito al que amaba desde los tiempos del instituto, se derrumbaba, Danielle decidió aferrarse a las cosas buenas de la vida (sus hijos, su amor por los demás, su trabajo, sus amigos, su familia), en vez de dejarse arrastrar por la tragedia. Danielle apostó por la mentalidad positiva y triunfó.

Pero eso no es todo. Su entusiasmo desenfrenado por la vida y su capacidad de buscar la felicidad les permitieron superar obstáculos enormes a ella y a sus hijos. Después de cambiar todas las cerraduras de la casa para proteger a sus hijos de un marido drogadicto, Danielle estuvo sola dos años. Tenían poco dinero, pero les sobraba el cariño y podían contar con la ayuda de los padres de Danielle, de su suegra y del resto de la familia y amigos. Danielle dice que jamás la juzgaron y que siempre le ofrecieron sus consejos y todo su apoyo. Sabía que siempre estaban ahí y la ayudaron a «no perder la cabeza».

Como el mayor tenía un desorden neurológico (el síndrome de Tourette), necesitaba cuidados especiales y pasó por momentos difíciles durante el crecimiento. Aunque no tenían dinero, Danielle hizo todo lo posible para que su hijo tuviera los tutores y terapeutas que necesitara. Todos los días, al salir del trabajo, pasaba horas y horas con su hijo para ayudarlo a concentrarse mientras hacía los deberes y para ayudarlo a aceptar su enfermedad. La determinación y fuerza de voluntad de Danielle no tenía límites, al igual que el apoyo que brindaba a sus hijos, a pesar de las dificultades. Y lo consiguieron. Ahora, cuando los niños se burlan de él por los tics de la cara, él contesta: «Sí, tengo tics. ¿Qué pasa?».

«Si no te aceptas a ti mismo, no puedes ser feliz —dice Danielle—. Cuando te da exactamente igual lo que puedan pensar los demás, te sientes más seguro de ti mismo».

FUERZA DE VOLUNTAD

Tina Fiorentino también sabe lo que es una determinación y fuerza de voluntad sin límites. Tina es la madre de Rocco, del que hablamos en el capítulo anterior. Tina no era una madre trabajadora, pero cuando nació «Little Rock», su vida cambió; la vida de su hijo corría peligro, y sin embargo ella supo crecerse ante las dificultades y darse cuenta de que su futuro no se limitaba a quedarse para siempre en casa con su hijo. Su marido y ella fundaron la Little Rock Foundation, una organización sin ánimo de lucro, a fin de que los padres de niños con discapacidad visual no tuvieran que enfrentarse a la misma angustia y desesperación que ellos tuvieron que afrontar por el simple hecho de tener un hijo discapacitado.

Historia de una madre

Tina Fiorentino tenía 35 años y su marido, Rocco, 41, cuando Tina tuvo que enfrentarse a un parto prematuro de cuatro meses en el que dio a luz a unos gemelos. (No han vuelto a intentar tener más hijos). Uno de los

(continúa)

gemelos murió, y al otro, Rocco, *Little Rock*, le diagnosticaron la retinopatía del prematuro (ROP), que, como ocurrió en este caso, puede causar ceguera. Los doctores dijeron que tenía muy pocas posibilidades de sobrevivir.

Pero Tina no se rindió; decidió que su hijo crecería como un niño normal, maravilloso y feliz, un ser humano bien adaptado, aunque fuera ciego. Tina estuvo en el hospital seis meses, esperando a que *Little Rock* creciera y tuviera las fuerzas suficientes como para irse a casa con ella.

El único problema era que, como ella misma descubrió muy pronto, existía muy poca información sobre los aspectos emocionales de los niños ciegos o con problemas de visión. Tan sólo había información médica, así que Tina tuvo que volver a crecerse ante las dificultades y redoblar sus esfuerzos.

Recogió información de otros padres y médicos, como sigue haciendo ahora, para ponerla al alcance de todos a través de la fundación. Toda esta información se convirtió en la base de lo que hoy es el primer Centro de Información para las Familias del Hospital Infantil de Filadelfia, creado para que los padres de niños con discapacidad visual no tengan que enfrentarse hoy a la misma angustia y desesperación que Tina y su marido tuvieron que afrontar. Tina y su marido se decidieron por un enfoque práctico y tomaron las riendas de la situación. Trabajaron y se esforzaron para que su familia fuera de lo más normal... «sólo que nosotros hablamos más», dice Tina.

«Rocco es ante todo una persona; lo de ser ciego viene después. Jamás caímos en la trampa del "¿por qué a mí?" —dice Tina—. Tener un hijo ciego nos ha hecho llegar a ser lo que somos hoy. Es el sentido de nuestras vidas y lo que guía todas nuestras pasiones».

A día de hoy, Tina vive y respira para trabajar en la Little Rock Foundation, mientras Rocco, *Little Rock*, sigue creciendo y dirige el Little Rock Camp, un campamento de verano que creó para niños con discapacidad visual.

Little Rock se ha agarrado a la vida con todas sus fuerzas. Gracias al esfuerzo de sus padres, ha entrado en colegios para niños sin necesidades educativas especiales, ha cumplido su sueño de llegar a ser músico y se ha convertido en el defensor de los niños ciegos o con discapacidades visuales. Y hasta ha dado testimonio ante el Congreso y la Asamblea Legislativa de Nueva Jersey.

Little Rock todavía no tiene muy claro qué hará de mayor... si su destino será la música o la política. Ya ha grabado muchas canciones, y después de exponer ante la Asamblea Legislativa sus argumentos para que no se redujeran los fondos destinados a los niños ciegos y con discapacidades visuales en Nueva Jersey, el gobernador del estado, Jon Corzine, ¡declaró octubre el mes de la concienciación ciudadana sobre los problemas de la ceguera!

En una situación que habría podido llevarles a la tristeza y la depresión, Tina supo crear la alegría y la felicidad para ella y para su familia.

Escucha la «voz interior»

«Es bueno hablar de una experiencia difícil que se ha convertido en éxito», dice Jenifer Westphal, de 47 años y madre de tres hijos, entre los que se encuentra Kyle, de 15 años, al que se le diagnosticó autismo en 1998. Jenifer y su marido, Jeffrey —al igual que los Fiorentino— se sintieron frustrados ante la falta de información sobre la discapacidad de su hijo. Jenifer era ama de casa, pero, como Tina, decidió ponerse manos a la obra, y fundó junto con su marido una organización sin ánimo de lucro, la Kyle's Treehouse, a fin de que «quienquiera que haya de enfrentarse al autismo pueda tomar las decisiones adecuadas». La Treehouse comenzó como un centro de información, pero hoy se ha convertido en toda una comunidad con cientos de miles de visitas al año.

«Muchas madres hacen lo imposible por cambiar drásticamente el destino de sus hijos. Y yo quería hacer lo mismo —dice Jenifer—. La experiencia que he vivido con mi hijo me ha ayudado a dar lo mejor de mí misma en todo».

Jenifer dice que, después de fundar la Treehouse, su familia no la apoyó tanto como ella esperaba. Las tensiones familiares sobre el modo en que pasó de ser sencillamente madre a convertirse en una experta del autismo persistieron durante años. Como madre de un niño con autismo, Jenifer se sentía triste y fracasada. Pero el éxito con Kyle (que ya es adolescente y va al colegio con todos los demás niños de su vecindario) y la fundación le han demostrado que su «voz interior» tenía razón.

«Adquirí más seguridad en mí misma —dice Jenifer—. La falta de seguridad era la raíz de mi tristeza. Pero al final descubrí mi voz interior [...]. Soy feliz porque soy capaz de dar lo mejor de mí misma [...]. Las madres aprendemos a ser madres».

Feliz de verdad

A Kyle Westphal le diagnosticaron autismo de pequeño. Ahora tiene 15 años y es el típico adolescente, pero con una historia extraordinaria que empezó cuando era niño y en la que el amor y la determinación de sus padres para encontrar la causa y el tratamiento adecuado lo ayudaron a superar aquella etapa.

Conforme crecía, Kyle fue pasando de ser un niño extrovertido y feliz a convertirse en un niño taciturno e introvertido. Cuando cumplió los 3 años, sus padres, Jeff y Jenifer, empezaron a preocuparse. Los dos años que siguieron fueron confusos y desgarradores, puesto que no sabían qué le pasaba a su hijo hasta que llegó el diagnóstico. Tras visitar a numerosos especialistas y pasar por toda una serie de pruebas, le diagnosticaron autismo en 1998.

Los Westphal tuvieron que luchar mucho, pero al final dieron con un tratamiento que podría ayudar a su hijo. Tras más de cuatro años de terapia siguiendo el programa The Son-Rise Program® en el centro americano de tratamiento del autismo (The Autism Treatment Center of America ™), Kyle salió de su estado de autismo.

Gracias al optimismo, la fuerza y la perseverancia de los padres de Kyle, y sobre todo de su madre, ahora po-

(continúa)

demos contar la historia de un tratamiento de éxito y con final feliz.

La historia de Jenifer es una historia de éxito y triunfo... para miles de personas. Su marido y ella han fundado la Kyle's Treehouse, una organización sin ánimo de lucro que actúa como centro de información para que quien haya de enfrentarse al autismo pueda tomar las decisiones adecuadas.

Lo mejor que podamos

«Nacimos con unas capacidades, y seremos felices en la medida en que las desarrollemos y pongamos en práctica —dice Pam, de 57 años, que ahora es una famosa tutora de *coach* ejecutivo. Pam nació en el seno de una familia trabajadora y humilde que no creía en la idea de que las niñas tuvieran que llegar a la universidad, así que empezó a trabajar para mantenerse, y enseguida descubrió los aspectos positivos del trabajo—. Tenemos que usar nuestros talentos lo mejor que podamos para hacer que el mundo sea un lugar mejor».

A Pam le encantaba ir al colegio y, como le iba muy bien, quiso seguir adelante. En cuanto pudo, se apuntó a la universidad, ¡después de convencer al que entonces era su marido para que también se pusiera a estudiar!

Además de tener un trabajo de jornada completa, Pam era «un padre y una madre de jornada completa» para su hija Katie, que ahora tiene 21 años. «Katie tiene problemas de aprendizaje, un desorden de atención y un desorden obsesivo-compulsivo... que durante mucho tiempo no le supieron diagnosticar adecuadamente —dice Pam—. Cuando estaba en quinto (con 10 u 11 años), leía como una niña de 4 años».

Las dificultades de Katie la convirtieron en una niña muy difícil, a la que había que dedicarle mucho tiempo. Los padres de Pam la ayudaban, pero entonces surgió el sentimiento de culpa. Si bien le dedicaba todo el tiempo que el trabajo le permitía y hacía todo lo que podía por su hija, seguía sintiéndose culpable.

«Estando sola era muy difícil criar a una niña con discapacidades», dice. Cuando se quedó sola (e incluso cuando estaba casada), Pam tenía que trabajar todo el día y, al llegar a casa, se ponía todas las noches a ayudar a Katie con sus deberes.

Pensaba constantemente en su hija y no tuvo ni un minuto libre en los siete años que pasó sola. «Pero no me importa», dice Pam. Hizo todo lo que pudo por su hija; el trabajo le robaba los pocos momentos que habría podido dedicarse a sí misma; y, a pesar de que contrató a una niñera, ésta no dejaba de ser una persona de veintitantos años que, al vivir en la casa, era también una responsabilidad.

Pese a las dificultades, las dudas y la culpa, Pam siguió siendo la persona feliz que hoy aún es. Éste es su único remordimiento: «Ojalá hubiera metido a Katie en una escuela pública; habríamos notado antes el problema y todo habría sido distinto».

Por otra parte, le hubiera gustado tener más seguridad en sí misma, porque esto la habría ayudado a avanzar con más rapidez en su carrera y habría podido aportar aún más.

Reclama tu vida

Los retos y decisiones de las madres trabajadoras nos convierten en lo que somos. Si decidimos, como hizo Pam, poner todo nuestro tiempo al servicio de nuestros hijos, puede que nos sintamos bien en ese momento, pero es una situación que no se puede mantener porque, a la larga, se resiente nuestra salud y nuestro tono vital. Perdemos el equilibrio que nos mantiene centradas y es el cimiento de nuestras familias.

Consejo para la felicidad: saber cuándo decir «No» y cómo hacerlo sin sentirnos culpables aumenta nuestra satisfacción vital y, por tanto, somos más felices.

El poder de un «No»

Renee Peterson Trudeau, presidenta de Career Strategists, tutora de *coaching* de equilibrio vital y autora de *The Mother's Guide to Self-Renewal: How to Reclaim, Rejuvenate and Rebalance Your Life* (Balanced Living Press, 2008), nos ofrece sus «nueve formas creativas de decir "No"» (y dejar el «Sí» para lo que de verdad quieras hacer):

1. **El *no* y punto:** «Gracias, pero paso». (Dilo, y deja de hablar.)
2. **El *no* educado:** «Te lo agradezco de verdad, pero tengo otros compromisos que atender».
3. **El *no* compungido:** «Me encantaría, pero ahora mismo no puede ser».

4. **El *no* por decisión de otros:** «Le prometí a mi tutor (terapeuta, marido, etc.) que no me metería en nada más por ahora. Estoy intentando poner un poco más de orden en mi vida».

5. **El *no* por motivos de familia:** «Gracias por invitarme, pero mi hijo tiene un partido y no me lo puedo perder».

6. **El *no* de las presentaciones:** «A mí no me da tiempo, pero te puedo presentar a una persona que puede ayudarte».

7. **El *no* ocupado:** «Te agradezco que hayas pensado en mí, pero ese día estaré muy ocupada».

8. **El *no* que establece límites:** «Mira, te voy a decir lo que puedo hacer...», y después limita el compromiso todo lo que haga falta.

9. **El sí, pero *no*:** «Me lo pensaré, y ya te diré algo».

La próxima vez que te tiente la idea de renunciar a tus quince minutos de tranquilidad por tu hijo, piensa en cómo tu humor y tu estado físico marcan el ambiente que se respira en tu familia, y después hazte las siguientes preguntas: ¿De verdad es necesario? ¿Qué será mejor para mi hijo, que le diga que sí o que le diga que no? Lo que queremos que veas con estas páginas es que un generoso y continuo «sí» puede resultar más perjudicial que tomarte el tiempo que necesitas para recobrar las fuerzas necesarias y poder dar lo mejor de ti misma por el bien de tus hijos, de tu familia y de tu trabajo, por muchas presiones y dificultades que se crucen en tu camino.

Ideas y estrategias

Renee Trudeau comparte con nosotros sus ideas y estrategias para lograr un buen equilibrio vital:[2]

- **Ten en cuenta tus prioridades y mantén el control de tus energías.** ¿Qué es lo más importante para ti? ¿Hasta qué punto eres capaz de controlar tu humor? ¿Qué te está agotando? ¿Qué te da fuerzas? ¿Te sientes cómoda diciendo «no» para no sobrepasar tus límites? *«Las cosas más importantes no deben quedar a merced de las menos importantes».* —*Goethe*
- **Convierte la renovación personal en una prioridad.** Cuando hayas recobrado fuerzas, tendrás más para tus clientes, familia y amigos, y podrás dar el máximo, al tiempo que te conviertes en un ejemplo de salud y equilibrio vital para todos los que te rodean. El cuidado de ti misma (físico, mental, emocional y espiritual) debería formar parte de tu vida diaria.
- **Créate una red de apoyo.** ¿Cuánta ayuda personal y profesional necesitas para sentirte fuerte, emocionalmente equilibrada y tranquila, sin ningún tipo de estrés? ¿Cómo debería ser esta ayuda? Aprende a pedir y recibir ayuda. Vuelve a pensar en ello cada tres meses; tus necesidades van cambiando con el tiempo. *«Poder contar con la ayuda necesaria cuando te encuentres ante un cambio, un reto o una situación de estrés será decisivo para la forma en que vivas dicha situación».* —*Renee Trudeau*
- **Vive el presente.** El estrés y la sensación de que las cosas nos superan suelen aparecer cuando vivi-

mos ancladas en el pasado o demasiado preocupadas por el futuro. En la medida en que vivamos el presente y nos centremos en lo que es más importante aquí y ahora, conseguiremos mantener la calma y ser más eficaces. Normalmente, nos sentimos más equilibradas e integradas cuando nos concentramos en lo que estamos haciendo en cada momento. Una forma muy eficaz de lograrlo es prestar mucha atención a lo que hacemos cuando usamos el móvil, el correo electrónico y todo lo que esté relacionado con la tecnología.

Trudeau también nos sugiere cuatro áreas en las que la renovación personal puede ayudarnos a recobrar las fuerzas y a ser mejores como madres y como trabajadoras:

1. **Renovación física:** ingiere alimentos nutritivos y saludables, duerme lo suficiente y asegúrate de estar bien hidratada.
2. **Renovación emocional:** mantén conversaciones personales con tus amigas, sé sincera con quienes te dan consejos y rechaza cualquier pensamiento crítico sobre ti misma o tus acciones.
3. **Renovación espiritual:** asegúrate de tener tiempo para estar sola, para pensar o escribir, y conectar contigo misma; sal a dar un paseo por el parque o fuera de la ciudad, rodeada de la naturaleza; medita o reza.
4. **Renovación mental e intelectual:** lee un buen libro o aprende algo más sobre algún tema que te interese; apúntate a algún curso o grupo de trabajo y aprende algo nuevo.

Feliz de verdad

Carmela, que ahora tiene 46 años, conoció a Sal cuando tenía 14 y se casaron cuando ella tenía 19. Su primera hija, Dawn, nació poco después. A los cinco años llegó la segunda, Mia. Carmela se dedicó por completo a sus hijas y a la casa durante mucho tiempo, tal y como deseaba su marido.

Diez años después, Carmela decidió cumplir su sueño y ponerse a estudiar; quería ser ayudante médico. Tras nueve meses de estudio, el día en que se iba a graduar, tuvieron que ingresar a su hija en un centro de rehabilitación. En tan sólo nueve meses sin supervisión diaria, la salud de Dawn se había deteriorado, y eso había dejado a su madre por los suelos, carcomida con el sentimiento de culpa por haber perseguido el deseo «egoísta» de sacarse una carrera además de ser esposa y madre.

Carmela no consiguió hacer realidad su sueño porque tuvo que afrontar todo el periodo del tratamiento y dedicarse por completo a las necesidades de sus hijas. Su marido no la ayudaba, y al final se separaron. Sal consiguió la custodia de las niñas, y Carmela se quedó sola, por primera vez desde los 14 años.

Al principio estaba destrozada, y hasta tuvieron que ingresarla porque había tomado demasiadas pastillas a causa de una medicación continua y por depresión. Pero Carmela hizo mucho más que recuperarse de la depresión: se propuso firmemente triunfar en la vida.

Contra todo pronóstico, Carmela consiguió rehacer su vida y se organizó para montar un servicio de limpieza de casas y consultas. En 2003 ya estaba completamente recuperada y con unos ingresos seguros. Ahora, cinco años más tarde, ya tiene toda una cartera de clientes que la adoran, y sus dos hijas están sanas y felices.

Ahora sale con otra persona y, cuando echa la vista atrás, se siente agradecida por todas las oportunidades que la vida le ha brindado para ser feliz. Dice que su vida no ha sido como se la imaginaba de pequeña, pero reconoce que es una historia con final feliz. «Con sudor y lágrimas se llega lejos», dice.

El divorcio

Cualesquiera que sean las circunstancias, el divorcio siempre te desgarra por dentro, y muchas veces subestimamos las consecuencias del sufrimiento emocional. Para superar un divorcio, tenemos que cuidarnos física y emocionalmente. Pero también es importante entender que llorar un divorcio es sano y absolutamente normal.

Vamos a considerar algunas estrategias que te ayudarán a superar el torbellino emocional que supone un divorcio y a sentar las bases de lo que será tu vida tras el divorcio.

Lo primero es tener en cuenta lo siguiente:

- Para mantener los gastos a raya tienes que organizarte bien el tiempo y usar los recursos adecuados. Si estás con los nervios a flor de piel, no te desahogues con tu abogado, puesto que le estarías pagando por algo que sería mucho mejor comentar con un profesional especializado en divorcios que de verdad te pueda ayudar a salir adelante.

- Eres fuerte, así que no te dejes vencer por la desesperación. Aunque quisieras terminar con tu matrimonio, llorar su muerte es parte del proceso de curación. Tu nivel de felicidad se reajustará. Te recuperarás.

Para mayor información sobre cómo sobreponerse a un divorcio, te aconsejamos el libro de Deborah Moskovitch, *The Smart Divorce: Proven Strategies and Valuable Advice from 100 Top Divorce Lawyers, Financial Advisers, Counselors, and Other Experts* (Chicago Review Press, 2007).

Una lección que salió cara

«Cuando me divorcié, para mí era muy importante estar al corriente de los gastos que suponía todo el proceso, incluidos los profesionales con los que compartía mis inquietudes y preocupaciones. Una vez me llegó una factura de mi abogado con un cargo en concepto de "desahogo emocional". Supongo que yo creía que eso estaba incluido en sus honorarios, puesto que consideraba que el hecho de que un abogado supiera escuchar a sus clientes era una parte importante de su trabajo, pero aun así, tuve que pagar.

»Después de aquello, tuve mucho más cuidado a la hora de mantener una conversación "emocional" con mi estudio legal. Ese tipo de conversación tenía que haberla mantenido con un consejero especializado en casos de divorcio. El estudio legal estaba mucho más preparado para otro tipo de asuntos, como la custodia de los hijos o los gastos de la mudanza. Así pues, tener bien claro las responsabilidades y áreas específicas de los profesionales ayuda a preservar el bienestar, y el presupuesto. Después de todo, recibir facturas inesperadas es otro motivo más de estrés.

»Por tanto, si te puedes permitir el lujo de contar con todo un equipo de personas que te ayuden a tomar decisiones, piensa muy bien en lo que de verdad tienes que hablar con cada una de ellas (los miembros del estudio legal, el consejero o tutor de *coaching*, el asesor financiero, etc.). Haz una lista de los asuntos que quieres comentar con cada uno de ellos y asegúrate de que te estás dirigiendo a la persona adecuada antes de que te llegue una factura de una hora de un servicio profesional por algo que no te esperabas».

—Cathy Greenberg (madre trabajadora, divorciada, feliz, y comprometida en una nueva y larga relación).

Cuídate emocionalmente

Cuando pasamos por un divorcio, todos los que nos rodean sufren por nuestros altibajos emocionales. Se puede llegar a causar mucho dolor a nuestro entorno. Un buen consejero nos ayudará al escucharnos sin emitir juicios de valor. Pero las verdaderas respuestas siempre son las que de verdad nos ayudan en casa y en el trabajo.

Historia de una madre

Durante el divorcio tenemos que cuidarnos física y emocionalmente. Yo lo descubrí a fuerza de cometer errores.

—Cathy Greenberg

«Cuando pasaba por mi divorcio, no pude esconderme del mundo real en mi cómodo pijama y con una caja de bombones al lado, como solía ver en las telenovelas de pequeña. Como madre trabajadora, tenía que seguir levantándome por las mañanas, ir a trabajar, pagar las facturas y cuidar de mi hija.

»Visto desde fuera, mi vida como madre trabajadora y sola era todo un éxito. Pero por dentro, la tristeza me estaba devastando. No le daba a mi cuerpo lo que necesitaba. A veces me volvía insensible. Era lo más fácil. Hasta que al final, mi cuerpo fue más listo que yo y me pasó factura. Mi rechazo terminó por atacar los nódulos linfáticos, los órganos reproductivos y casi me destrozó el sistema inmunitario. Volcarme por completo en el trabajo no era la solución. A los pocos años, la situación que había provocado el divorcio estuvo a punto de terminar conmigo.

»En cuanto descubrí la gravedad de mi estado de salud, me di cuenta de hasta qué punto deseaba ser feliz. Estaba claro que tenía que anteponer mi felicidad a todo lo demás, o no quedaría nadie para hacerse cargo de mi hija ni ningún trabajo que pudiera ayudarme a mí a encontrar esa felicidad».

La autoayuda tiene una cosa buena... puedes tomarla o dejarla. Contar con la ayuda adecuada quiere decir darse cuenta de lo que de verdad una puede abarcar sola y buscar la ayuda que sea necesaria para lo demás. Realiza el siguiente ejercicio para darte cuenta de lo que la felicidad significa para ti y de qué necesitas para mejorar las posibilidades de alcanzarla:

- Piensa en otros momentos de crisis por los que ya hayas pasado. ¿Qué hiciste para superarlos? Tal vez podrías aplicar las mismas estrategias que te ayudaron la otra vez.
- Intenta imaginar cómo te gustaría que fuera tu vida después del divorcio. ¿Qué tendrías que hacer para conseguirlo? Empieza a hacerlo. Cuando una toma la iniciativa, se siente mucho mejor.
- Cuídate física y emocionalmente. Eso te ayudará a reducir el estrés. Es decir, tendrás que dedicarte tiempo a ti misma.
- Tampoco descuides la salud física y emocional de tus hijos. Si no te cuidas a ti misma, podrías llegar a descuidarlos a ellos.

Lista de tareas para madres trabajadoras que se están divorciando

- Créate una red de apoyo: amigos, familiares, grupos de apoyo, sacerdotes, etc.
- Cuida tu salud emocional.
- No te conviertas en mártir: deja un tiempo para ti misma.
- Si puedes, habla con tu jefe para que sepa que te

has divorciado, puesto que los aspectos emociona-
les podrían afectar a tu trabajo.
- Reserva tiempo para ti misma.
- Come bien, mantente en forma; te sentirás mejor.

Fuente: Deborah Moskovitch, autora de *The Smart Divorce: Proven Strategies and Valuable Advice from 100 Top Divorce
Lawyers, Financial Advisers, Counselors, and Other Experts* (Chicago Review Press, 2007).

Balance final: ejercicios

**DESCUBRE Y ALÉGRATE POR LOS PEQUEÑOS MILAGROS DE
LA VIDA Y LAS PEQUEÑAS VICTORIAS**

Este ejercicio te ayudará a comprender la función, naturaleza e implicaciones de tus emociones.

1. Empieza por identificar todos los milagros que puedas. Piensa en los siguientes aspectos:

   - Físico (por ejemplo, tu cuerpo se encarga de to-
     das las funciones orgánicas sin que tú te des cuen-
     ta: el corazón late solo y los pulmones envían oxí-
     geno a tus órganos. El cuerpo humano está hecho
     de pequeños milagros que no requieren ninguna
     atención por tu parte).
   - Cognitivo/emocional (por ejemplo, las respuestas
     cognitivas o emocionales que te produce ver un
     cuadro o admirar la naturaleza evocan recuerdos
     y sentimientos).

- Espiritual (por ejemplo, los sentimientos espirituales que se derivan de un número infinito de experiencias diarias y nos hacen sentir nuestra naturaleza de madres, mujeres, personas y seres humanos).
- Otros.

2. Ahora céntrate en las pequeñas victorias. En tus logros. Para empezar, piensa en:

  - Tus motivaciones
  - Tu salud
  - Tus relaciones (empieza por la relación que tienes contigo misma).

3. Ya que has completado los dos primeros pasos, contesta las siguientes preguntas:

  - ¿Qué sientes en este momento?
  - En una escala que va del 1 (muy baja) al 10 (muy alta), ¿dónde colocarías tu nivel de energía?
  - ¿Cómo describirías tu sentido del bienestar en este momento?

4. ¿Cómo afectaría a tu calidad de vida ser consciente de los pequeños milagros y victorias que te rodean todos los días de tu vida?

Capítulo 8

Recapitulemos...

No podemos estar siempre al 100%,
por eso necesitamos un estilo de vida ordenado y bien planeado,
y rodearnos de gente que nos pueda ayudar
a dar lo mejor de nosotras mismas.
—Benita Fitzgerald Mosley, madre, ejecutiva y atleta olímpica

A las madres trabajadoras les suele dar la impresión de que llevan dos vidas distintas: una en casa, como madre y esposa; y otra en el trabajo, con sus compañeros. Por este motivo, suelen describirse como dos personas distintas. Todas nos adaptamos a la situación del momento, pero no deberíamos permitir que nuestros valores cambiaran según el sitio y situación en que nos encontremos; como tampoco deberíamos olvidar lo que hemos aprendido en casa al entrar a trabajar, ni lo que hemos aprendido en el trabajo al llegar a casa.

Las personas más felices son las que saben armonizar sus vidas personales y profesionales, es decir, aunque estén separadas, ambas se encuentran unidas por un hilo común de valores y prioridades.

¿Qué es lo que más te gusta de ti? No hagas caso de las opiniones de los demás y limítate a pensar en la opinión que tienes de ti misma. ¿Cuáles son tus mejores cualidades? ¿Cuándo estás más tranquila?

No importa lo ajetreada que sea tu vida; tus respuestas son muy importantes. Son la esencia de tu felicidad. Puede que tu auténtico «yo» esté enterrado bajo mil estratos de responsabilidad; pero, en cuanto lo saques de ahí, lo que quede será el núcleo de tu felicidad. El resto es lo que te completa.

Un antiguo jefe llamaba a estas personas «CISNes» (Capaces, Inteligentes, Simpáticas y Necesarias). Muchos «cisnes» son madres trabajadoras que saben integrar «sus dos vidas» y, por tanto, sacan las mejores notas en casa y en el trabajo.

La vida que de verdad deseas

Nos esforzamos mucho y hacemos un buen trabajo. Nuestras empresas nos permiten ascender hasta el puesto en que nos necesitan, que no es necesariamente donde a nosotras nos habría gustado llegar. Tras años de trabajo y carrera, puede que no estemos donde queríamos estar. Pero tener hijos nos ayuda a darnos cuenta de quiénes somos en realidad, porque nos obliga a volver a pensar en nuestros valores y a reorientar nuestros esfuerzos para ser las mejores madres que podamos llegar a ser.

Vivir conforme a nuestros valores nos hace comportarnos del modo en que esperamos que lo hagan nuestros hijos. Busca un trabajo que te permita llevar la vida que de verdad deseas; aunque eso no significa que tengas que cambiar de trabajo obligatoriamente. Quizá lo único que tengas que hacer es reajustar el trabajo que tienes ahora. Confía en tus instintos y atrévete a ver el mundo como una inmensa fuente de oportunidades. Tú tienes mucho más control sobre tu vida del que crees tener. Serás mucho más flexible y capaz de triunfar en un mundo impredecible y cambiante cuando todo tu cerebro se halle implicado en el proceso de toma de decisiones.

Como vimos anteriormente, cuando ponemos en juego toda nuestra capacidad cerebral, somos capaces de tomar decisiones basándonos en las áreas más desarrolladas de nuestro cerebro, es decir, nuestras habilidades de decisión pasan del cerebro mamífero (el de la supervivencia) al cerebro ejecutivo (más social). Así pues, si nos acostumbramos a usar las áreas más desarrolladas del cerebro, el resultado es una toma de decisiones más integrada y con una mayor capacidad de influir en nuestras vidas, lo cual nos permitirá llevar la vida que de verdad deseamos vivir. Te sentirás más completa y, por tanto, más feliz.

Conócete a ti misma

La medallista de oro olímpico Benita Fitzgerald Mosley aprovecha todas las oportunidades que le ofrece la vida (como madre, hija, esposa, atleta, mujer de carrera y miembro de su comunidad) y triunfa. Al principio del libro nos habló de cómo todas sus experiencias, desde que era niña hasta ahora, la han enriquecido como persona y le han ayudado a mejorar en todo lo que hace, dondequiera que se encuentre, en la sala de juntas, en casa o con los miembros de su comunidad.

«Con 12 años empecé a correr en las pistas de atletismo, y también tocaba la flauta; pero de niña tenía muy poca autoestima —dice Mosley—. Cuando empezó a irme bien en el colegio y en las pruebas de atletismo, empecé a valorarme más; y al año siguiente, cuando comencé a ganar algunas carreras, mi autoestima se afianzó y esto me ayudó a superar mis debilidades y a desarrollar mis puntos fuertes y mi talento. Estoy convencida de que todos necesitamos pasar tiempo con nuestra familia y participar en las actividades de la comunidad si queremos que nuestra vida sea completa. No podemos estar siempre al 100%, por eso necesitamos un estilo de vida ordenado y bien planeado, y rodearnos de personas (consejeros, maestros, familia) que nos puedan ayudar a dar lo mejor de nosotras mismas».

Al igual que Mosley, tú también puedes gozar de una vida completa si aprovechas todas las posibilidades que te ofrece la vida. Y el primer paso es darte cuenta de que la felicidad (como el trabajo) es una elección tuya.

Piensa en un momento en que sentiste que estabas siendo tú misma, antes de que las responsabilidades y las distracciones externas empezaran a acumularse; cuando se te apreciaba por ser quien eres. Piensa en un momento en que te sentiste fuerte, valorada, y completamente implicada en el presente. ¿Qué estabas haciendo? ¿Cómo lo estabas haciendo? ¿Cómo te sentías? ¿Qué te dice esto sobre ti misma? Tómate unos minutos para disfrutar de esos pensamientos y sentimientos. Y luego piensa en qué necesitarías para volver a sentirte así. Abre la mente y acepta las posibilidades.

Feliz de verdad

Las coautoras y madres trabajadoras Cathy Greenberg y Barrett Avigdor recuerdan un momento de sus vidas en que se sintieron ellas mismas de verdad, y lo que aquel momento y los sentimientos que les provoca les dicen de ellas mismas:

Cathy: Yo tenía 18 años. Llevaba unos pantalones cortos de color caqui y observaba a un grupo de monos en las Bermudas. Sabía observar el comportamiento animal, sus pautas y cambios en el grupo, e incluso era capaz de predecirlos. Se me daba muy bien, me encantaba. Ahora me gusta observar el comportamiento humano y sacar conclusiones que puedan ayudar a las personas a ser más eficaces en lo que hacen, y a ser más felices.

Barrett: Tenía 19 años y aquel verano trabajaba como intérprete en un centro de refugiados cubanos en Fort McCoy (Wisconsin). Pasé largas jornadas de trabajo estimulante ayudando a los refugiados cubanos a encontrar a sus familiares en Estados Unidos. Me sentí útil e importante. Me encanta poner mis habilidades al servicio de los demás. Me gusta ser útil, sobre todo para la gente que de verdad quiere y necesita mi ayuda.

Los rodeos

No siempre resulta fácil vivir conforme a nuestros valores. La búsqueda del dinero, el poder y el estatus nos pueden distraer y hasta nos pueden llevar por el camino equivocado. Sin embargo, la felicidad no está en el dinero, ni en el poder, ni en el estatus; éstos, como mucho, pueden ayudarnos a hacer que los demás nos vean con otros ojos, pero no nos darán la felicidad. Ser conscientes de nosotras mismas, saber determinar cuáles son nuestros valores, y organizar nuestro tiempo y energías conforme a ellos, aumenta nuestra seguridad y espontaneidad, lo cual, a su vez, nos proporciona una mayor confianza en nosotras mismas y una felicidad duradera.

Consejo para la felicidad: puede que tengas que optar por otro camino distinto del que pensabas, pero los desvíos valen la pena porque se aprende mucho más de los errores que de los éxitos.

A veces, somos nosotras mismas las que nos interponemos en nuestro camino e impedimos la felicidad; y en ocasiones también tenemos que enfrentarnos a obstáculos y barreras internas o externas, a esas voces negativas que siembran la duda y nos paralizan, en vez de animarnos a seguir adelante. Algunas de estas voces pueden ser:

- No soy lo bastante buena para hacer eso.
- Soy demasiado mayor, no puedo ponerme a aprender nada nuevo.
- Me encantaría hacerlo, pero no tengo tiempo.
- Si no me ocupo yo de la casa, no lo hará nadie.

Pausa de *coaching* personal: no piques el anzuelo

Somos fuertes, y podemos contrarrestar las voces negativas con el pensamiento positivo, apreciando todo lo que tenemos, que es la esencia de la felicidad. En lugar de escuchar las voces negativas, podemos aprender a ser nuestras propias consejeras y abrirnos a «la mentalidad positiva», es decir, que nosotras, como madres trabajadoras, podemos conseguir todo lo que nos proporcione alegría, tanto en casa con nuestros hijos y familia, como en el trabajo.

Si quieres cambiar el disco de la negatividad que sigue dando vueltas en tu cabeza, vas a tener que escribir letras nuevas para tus canciones. Puede que te parezca raro al principio, pero con el tiempo, las voces positivas sustituirán a las otras. A continuación te damos unas cuantas ideas para que las uses en las nuevas letras de tus canciones. Puedes añadir todas las que quieras.

- Puedo hacerlo.
- Pedir ayuda es sensato, no es ninguna señal de debilidad.
- Soy fiel a mis valores.
- Mi intuición es importante a la hora de tomar una decisión.
- Escucharé a los demás, pero la decisión es mía.
- Mis opiniones son buenas.

Consejos de otras madres trabajadoras

Un grupo de madres trabajadoras de uno de los bancos más importantes de la región central de Atlanta que participó en la investigación nos ofrece una serie de consejos:

- No eres Supergirl, no pasa nada porque no puedas hacerlo todo.
- Haz lo que tú quieras, no lo que la gente espere de ti.
- No te sientas obligada a justificar tus decisiones.
- Sé positiva, organízate bien y ten en cuenta las exigencias y responsabilidades del trabajo para ver cómo puedes compatibilizarlas con las de la familia.
- Planifícalo todo, pero deja espacio para lo inesperado.
- Puedes tenerlo todo, aunque tal vez no al mismo tiempo.
- El equilibrio es la clave, como también lo es el amor por lo que haces.
- No esperes poder hacerlo todo a la perfección. Hasta donde llegues será suficiente.
- Se puede ser feliz en el trabajo y con la familia. Tú decides.
- Pon la lavadora entre semana, así tendrás más tiempo los fines de semana.
- Trátate bien.
- El término medio es la clave que no puedes olvidar.
- Antepón siempre la familia, pero no hasta el punto de que ésta haga peligrar tu trabajo.

«La clave del bienestar psicológico es saber qué estás haciendo para fomentar tu inseguridad (preocupaciones, dudas, miedos, pesimismo) y qué puedes hacer para acabar con ella —dice Joseph J. Luciani, doctor en Psicología de Cresskill (Nueva Jersey), psicólogo clínico y autor de la famosa serie *Self-Coaching*. Luciani aboga por el *autocoaching* como un modo de ayudarse a sí mismo—. En mi opinión, el pensamiento y las afirmaciones positivas no son más que el 50% de la ecuación. El otro 50% depende de las creencias positivas. En resumidas cuentas, si no eres capaz de creerte lo que te estás diciendo y vivir conforme a ello, no habrá ningún cambio».[1]

Fomenta tu capacidad de liderazgo

«Cualquier situación en la que tengas que dirigir a los demás y alcanzar ciertas metas (ya sea a la cabeza de un grupo de senderismo o como directora ejecutiva de tu empresa) es una situación de liderazgo», dice Jill Smart, trabajadora y madre de dos hijas, de 16 y 11 años, y directora del departamento de recursos humanos de Accenture.

Ser madres nos entrena como líderes y nos ayuda a mejorar en nuestro trabajo, al tiempo que el trabajo nos ayuda a ser mejores madres, como afirmaron casi todas las madres a las que entrevistamos. La coordinación de la vida familiar y profesional implica una notable mejoría en ambas.

Trabajo y familia en tándem

La maternidad y el trabajo no forman una proposición disyuntiva. Cuando hace 14 años la escritora Jamie Woolf se convirtió en madre trabajadora, supo ver enseguida el nexo subyacente: «Se enriquecen mutuamente —sostiene—. Nuestra meta como padres es captar todo el potencial de nuestros hijos. En el trabajo, nuestro objetivo es captar todo el potencial de nuestros empleados».

Ser madre me ha convertido en una persona mejor.
—Pam, tutora de *coach* ejecutivo; tiene dos hijastros
y una hija con necesidades educativas especiales.

«Aprender a liderar me ha ayudado a ser una madre mejor —señala Nancy Laben, asesora jurídica del consejo de Accenture—. Una buena madre es la que prepara a sus hijos para que hagan el bien y lleguen más allá de donde ella ha llegado en este mundo. Es la madre que enseña a sus hijos a ser independientes y amables, y a ser las mejores personas que puedan llegar a ser. Es la madre que les enseña a ser felices».

«Pero una buena madre sabe que ella no es la responsable de la felicidad de sus hijos», añade Laben.

Como ya hemos visto, casi todas las madres entrevistadas nos dijeron que ser madres las ha hecho mejores en su trabajo y que, al mismo tiempo, han utilizado las habilidades y técnicas que habían aprendido en el trabajo para educar a sus hijos.

Este enriquecimiento mutuo nos ayuda a ser mejores en todo. Smart dice que su trabajo ha influido «decisivamente» en la forma en que educa a su hijos. «Las habilidades organizativas que he tenido que desarrollar para trabajar en Accenture me están ayudando mucho con los niños. Mi hija, de 16 años, ha aprendido que si una pone todo su empeño en el trabajo, puede llegar a conseguir muchas cosas, y que si algo te supera, tienes que pedir ayuda... De la misma manera que yo suelo pedir muchos favores a mis compañeros de trabajo, he enseñado a mis hijos que pedir ayuda no tiene nada que ver con la debilidad o el fracaso. Por otra parte, he aprendido que, si tengo una reacción exagerada en el trabajo, la gente reacciona negativamente, así que intento evitarlo en casa».

Al mismo tiempo, Smart dice que también ha mejorado en su trabajo: «He cambiado mucho. Ahora sé cuáles son las verdaderas prioridades, por qué vale la pena enfadarse y por qué no; he aprendido a no dejarme la piel en cosas que no tienen importancia; he aprendido a tener más paciencia; y creo que he aprendido a estar más abierta a las ideas de los demás. Cuando mis hijos crecieron, yo fui aprendiendo de ellos, y me volví más abierta. Creo que ahora también respeto más el equilibrio de la vida personal y profesional de los demás».

Otra cosa que suelen aprender las madres es a hacer varias cosas a la vez, aunque esta habilidad se puede convertir en un arma de doble filo, como afirma Victoria, médico y madre de tres hijos: «Convertirse en una especie de malabarista puede ser muy productivo y hasta puedes llegar a convertirte en una persona muy ingeniosa, pero al mismo tiempo pierdes la capacidad de concentrarte completamente en el presente».

Por otra parte, Victoria dice que, gracias a su trabajo, ha aprendido a mantener la calma en los momentos difíciles y ha podido perfeccionar sus habilidades de comunicación, que son dos atributos que la han ayudado a ser una madre mejor.

Babette, una madre trabajadora de París, dice: «Ser madre me ha ayudado a descubrir cuáles son mis virtudes y mis defectos; he aprendido a ser más fuerte y equilibrada; he aprendido lo que es, y lo que no es, la felicidad; he aprendido lo que hace que una relación funcione y hasta qué punto influyen mis acciones en los demás».

Historia de una madre

Dee Dee Myers, madre trabajadora, escritora y secretaria de prensa del presidente Bill Clinton, nos explica cómo la maternidad ha cambiado su trabajo:

«He ido cambiando poco a poco, pero cuando miro hacia atrás, después de casi nueve años, me doy cuenta de que ahora estoy más centrada y soy más eficaz en mi trabajo. A veces me pregunto qué hacía yo con mi tiempo libre antes de tener a los niños.

»Ahora trabajo desde casa y es una bendición, porque ambos aspectos de mi vida han salido ganando. Antes no me daba cuenta de lo importante que es la felicidad para todos, pero ahora sé que la gente necesita sentirse escuchada. Y también he aprendido a poner ciertos límites.

»Mi visión del mundo también ha cambiado. Siempre he creído que es muy importante que las mujeres formen parte de todos los aspectos de la vida pública, pero ahora estoy todavía más convencida. Por otra parte, soy más consciente de los peligros del mundo. Al tener hijos, una se preocupa más por los potenciales peligros, ya sean concretos o abstractos.

»Ahora sé lo importante que es tener un trabajo que resulte significativo y valoro mucho más todo lo que se puede hacer cerca de casa, como participar en la organización de las actividades del colegio o trabajar en casa.

»Nadie puede dar una respuesta que le vaya bien a todo el mundo; por eso he aprendido a apreciar la importancia de dar diferentes opciones a las mujeres. Cada una ha de escuchar su voz interior y hacer lo que considere mejor para ella».

Otras lecciones que las madres han aprendido y aplicado a su trabajo y a la vida:

- Al ser madre aprendes a distinguir lo que de verdad importa, a ser más fuerte, a adaptarte a todo y a mantener la calma. Cuando eres mamá lo pones todo en juego, y eso te enseña a manejar situaciones difíciles. Ser madre te da una perspectiva global más tranquila. —Flavia, madre de dos hijos, Buenos Aires (Argentina)
- Yo he aprendido a explicar lo que quiero y cuáles son mis expectativas con más claridad, a tener más paciencia y a reconocer enseguida las capacidades y límites de los demás. —Claire, madre de tres hijos, Los Ángeles (Estados Unidos)
- Tener a mi hija me ha enseñado a ser menos egoísta. Una deja de ser el centro de su universo. —Cynthia, madre de una hija, Ámsterdam (Holanda)

Obstáculos del liderazgo en casa

Si somos competentes en nuestro trabajo, podemos aprovechar nuestros métodos en casa. Sin embargo, no todas las madres trabajadoras lo hacen.

Como afirma la escritora Woolf, muchas madres dicen que no quieren oír hablar de liderazgo o trabajo al llegar a casa. En la investigación que llevó a cabo para preparar su libro, Woolf dice que era sorprendente la cantidad de mujeres con éxito en sus carreras que se sienten incompetentes en casa; y añade que, como la maternidad tiene una carga emocional tan grande y es algo tan importante, una se suele olvidar de sus habilidades ejecutivas y del liderazgo.

La vida siempre encuentra la forma de presentarse de un modo distinto del que habíamos soñado o planeado. «Yo estudié para ser enfermera, pero no me preparé para ser madre —dice Jill, enfermera clínica y madre de tres hijos—. La maternidad es difícil y a nadie se le enseña a ser madre. Soy prácticamente igual que mi madre, lo único que cambia es que ella no trabajaba cuando éramos pequeños».

Heather, trabajadora y madre de tres hijos, comenta que jamás se habría imaginado los sacrificios que comporta ser una madre trabajadora; dice que es muy difícil hacer que todo funcione, pero que con su voluntad y la valiosa ayuda de su marido y de sus tres hijos, ha logrado encontrar un buen equilibrio.

Estilos de liderazgo

Según Woolf, verte a ti misma como líder te ayudará a superar el cansancio del trabajo y a descubrir la alegría y la importancia de ser madre. En su libro, *Mom-in-chief*, explica la relación que existe entre el liderazgo en casa y el liderazgo en el trabajo, y cómo este último nos puede ayudar a descubrir nuestro potencial como madres y a superar todas las dificultades y retos que se nos presenten. Algunas de las estrategias de liderazgo que podemos aplicar en casa son:

- Establecer objetivos globales.
- Determinar nuestro propio estilo de liderazgo familiar.
- Saber manejar los conflictos.
- Entender la cultura de la familia.
- Afrontar los momentos de crisis.
- Guiar a nuestros hijos a través de los sufrimientos de la adolescencia.
- Equilibrar las prioridades.

Tu estilo de liderazgo familiar es el enfoque con que te planteas ser madre y tu forma natural de afrontar las crisis. Es, asimismo, la fuente principal de conflictos entre las madres y los padres. «Al ser conscientes de nuestro propio estilo de liderazgo familiar, seremos mucho más eficaces, sobre todo en los momentos difíciles, puesto que no trataremos de sobrecargar nuestras tendencias naturales», añade Woolf. (Para más información sobre su libro y los estilos de liderazgo que plantea, visita su página web: http://blog.mominchief.com/2009/01/)

Verte a ti misma como líder te ayudará a superar el cansancio del
trabajo y a descubrir la alegría y la importancia de ser madre.
—Jamie Woolf, autora de *Mom-in-chief* .

Autenticidad: sé tú misma

Tú sigues siendo la misma persona ya estés en casa o en el trabajo. Tu estilo de liderazgo, ya sea como directora ejecutiva de tu familia o de tu empresa, es básicamente el mismo. Tu eficacia es directamente proporcional a la fidelidad a tu estilo. «Cuanto más auténtica seas, más activa serás; y cuanto más activa seas, más feliz serás», afirma Woolf. Ser auténtica (y fiel a tu estilo) significa trabajar en tus puntos fuertes y conformar tus prioridades a tus valores. Aún puedes cambiar y mejorar como líder. Todos (empleados y niños) reaccionarán positivamente ante tu autenticidad.

Así, por ejemplo, si se te da mejor centrarte por completo en un único asunto y te gusta hacer las cosas una detrás de otra, habla con tu familia para que cada uno asuma la responsabilidad de hacer algo, de modo que tú no tengas que organizarlo todo. Y, si eres el tipo de líder al que le gusta delegar parte de la responsabilidad en los demás, para que aprendan y mejoren, haz lo mismo con tus hijos.

Concéntrate en tus puntos fuertes

Para maximizar tus éxitos y minimizar el estrés, concede más importancia a tus puntos fuertes, que, como ya hemos visto, son las habilidades en las que te consideras buena.

Da el máximo de ti misma

Todas somos más productivas y creativas, y nos sentimos menos estresadas, cuando podemos dedicar la mayor parte del tiempo a lo que más nos gusta y a aquello en lo que nos consideramos mejores. Marcus Buckingham ha publicado varios libros (entre ellos, *The Truth About You* y *¡No te detengas! Activa tus fortalezas*) que se basan en su trabajo con The Gallup Organization, en el que consultó con varias empresas para determinar qué era lo que hacía mejores a sus mejores equipos de trabajo. Su investigación demostró que los mejores equipos eran aquellos en los que cada uno de sus miembros se dedicaba a lo que más le gustaba y a lo que más sabía. Si eres buena en algo, pero te agota, no es un punto fuerte, sino un punto débil.

En casa es exactamente igual.

Desarrolla tus habilidades: el enfoque de los puntos fuertes

Desarrollar nuestras habilidades nos ayuda a mejorar en lo que mejor se nos da; como consecuencia, nuestra seguridad y felicidad aumentan, y esto repercute positivamente a nuestro alrededor.

REDUCE EL ESTRÉS

Este enfoque es especialmente útil para las madres trabajadoras. Puesto que tenemos tan poco tiempo a nuestra disposición, no tenemos más remedio que aprovecharlo al máximo. Si nos concentramos en las cosas que sabemos hacer mejor, nuestra eficacia en el trabajo aumentará, lo cual reducirá considerablemente el estrés que pudiera producir el trabajo. Y como ya sabemos, las madres trabajadoras que están menos estresadas no sólo serán mejores trabajadoras, sino que también serán mejores madres en casa.

Los hijos de madres trabajadoras con los que hemos hablando son plenamente conscientes de ello. Annie, de 10 años, sabe perfectamente cuándo a su madre le ha ido bien en el trabajo y cuándo no: «Cuando mamá tiene un buen día en el trabajo, llega a casa de buen humor, nos prepara una cena buenísima, me ayuda con los deberes y juega conmigo; pero cuando ha tenido un mal día, es como si le molestara todo lo que hago».

TEN EN CUENTA TUS PUNTOS DÉBILES Y ACÉPTALOS

Mucha gente cree que debe concentrarse por completo en sus puntos débiles, trabajarlos y vencerlos. Pero no es verdad. No se puede. Es inútil intentar ser buenas en todo. Si dejamos de lado lo que sabemos hacer bien e intentamos centrarnos en nuestros puntos débiles para ser perfectas en el trabajo, lo único que conseguiremos será agotarnos. Si definimos los puntos débiles —tal y como ha hecho Buckingham— como las cosas que nos agotan, cuanto más nos dediquemos a ellas, más nos cansaremos;

y cuanto más cansadas y estresadas estemos, peor nos irá, tanto en casa como en el trabajo.

Por otra parte, concentrar toda nuestra energía en nuestros puntos débiles nos puede causar problemas físicos, cuyos síntomas pueden ser dolores, punzadas y aumento o pérdida de peso. Lo que tenemos que hacer es tener en cuenta cuáles son nuestros puntos débiles y desarrollar estrategias que nos permitan seguir trabajando aun aceptando nuestras limitaciones.

Cuando te sientas abrumada por tus limitaciones en casa o en el trabajo, párate a pensar lo siguiente: ¿puedo hacer esto confiando tan sólo en mis puntos fuertes? Si la respuesta es no, ¿puedo contar con alguien que complemente mis debilidades con sus puntos fuertes? Podría ser una gran oportunidad para que tus hijos, mientras te echan una mano, refuercen sus habilidades.

Historia de una madre

Me encanta tener invitados, pero me agobia tener que cocinar para mucha gente. Al final resulta que la solución estaba en mi propia casa.

—Barrett Avigdor

«Durante años he estado invitando a mucha gente a cenar en mi casa porque me encanta mantener largas conversaciones con mis amigos sobre muchos temas interesantes. Pero, a la larga, tener que pensar qué podía preparar para la cena, salir a comprarlo todo y cocinar para tanta gente empezó a dejarme sin fuerzas.

(continúa)

»Cuando mi hijo cumplió 15 años, descubrió que le encantaba cocinar. Para él, todo se hacía más interesante cuanto más complicado fuera el menú y más gente viniera a probarlo. Y, además, al pequeño le encantaba preparar el postre y ayudarme a poner la mesa.

»Ahora, el mayor me prepara todas las cenas. A él le encanta lucirse, y yo estoy encantada de poder disfrutar con mis amigos de una cena exquisita que no he tenido que preparar».

Para descubrir cuáles son tus limitaciones y tus puntos fuertes, párate a reflexionar:

- Piensa en la última vez que estabas haciendo algo y se te pasó el tiempo volando. ¿Qué estabas haciendo? Piensa en varios ejemplos. Ésos son tus puntos fuertes.
- Ahora piensa en varias cosas que te cansen, en las cosas que hacen que el tiempo no pase nunca. Ésos son tus puntos débiles (limitaciones).
- Haz una lista de los dos. Intenta dedicar más tiempo todas las semanas a tus puntos fuertes que a tus limitaciones.

Motivaciones y éxito

Una vez que hayas descubierto tus puntos fuertes, podrás aprender a reconocer cuáles son tus verdaderas motivaciones y aplicar tus puntos fuertes para lograr los objetivos que te hayas marcado. Lo que te anima a triunfar es la motivación. A algunas personas las mueve el heroísmo, a otras el poder o el control, a otras la pertenencia a un grupo, y a otras la armonía, el equilibrio o sentir que forman parte de algo más grande que ellas. En cuanto aprendas a identificar cuáles son exactamente tus motivaciones, podrás trabajar en ellas y en ti misma. Muchos libros y páginas web (abiertas al público de modo gratuito) nos ofrecen posibles métodos de evaluación. Al final de este libro encontrarás algunos.

En cuanto sepas cuáles son tus puntos fuertes y tus motivaciones, podrás dar a conocer tu lado más positivo, que es el que los demás encuentran más atractivo y el que te hará ser mejor tanto en casa como en el trabajo. Ése es tu «yo auténtico». Deja que tu verdadero «yo» sobresalga cada día... tanto en casa como en el trabajo.

Balance final: ejercicios

DIARIO DE LA FLEXIBILIDAD/ADAPTABILIDAD

Desarrolla tu capacidad de adaptación en casa y en el trabajo.

Usa el siguiente cuadro para crear una lista diaria de tus reacciones usando dos categorías: casa y trabajo. Empieza el domingo y sigue adelante hasta que hayas completado toda la tabla.

(continúa)

Cuadro 8.1: Ejercicio de adaptabilidad

Acontecimiento	Día	Casa	Trabajo
Situación			
Reacción			
Mejorable			
Próxima vez			
Notas			

- Sé sincera con tus respuestas; no se trata de apuntar lo que te hubiera gustado.

  - Primera línea: ¿Cuál fue la situación inesperada?
  - Segunda línea: ¿Cómo reaccionaste?
  - Tercera línea: ¿Qué podrías mejorar?
  - Cuarta línea: ¿Qué puedo hacer para estar más preparada la próxima vez?

- Haz una lista de cosas inesperadas que hayan pasado en casa. Algunos ejemplos:

  - El niño/la niña tenía fiebre.
  - La niñera se puso enferma.
  - No ha sonado el despertador.
  - Se ha pinchado una rueda (o cualquier otro problema con el coche).

- Haz una lista de las reacciones que has tenido ante esa situación.

  - ¿Qué podrías haber hecho mejor o de qué te sientes orgullosa ahora que revisas tus reacciones?
  - La próxima vez, ¿qué harás?

- Haz una lista de cosas inesperadas que hayan pasado en el trabajo. Algunos ejemplos:

  - Una reunión inesperada.
  - Un proyecto urgente.
  - Un cliente enfadado.
  - Te has saltado el almuerzo.

- Haz una lista de las reacciones que has tenido ante esa situación.

  - ¿Qué podrías haber hecho mejor o de qué te reacción sientes orgullosa?
  - La próxima vez, ¿qué harás?

Usa tus puntos fuertes para adaptarte mejor

- Vuelve a mirar tu tabla semanal y busca las pautas que se derivan de tus reacciones en casa y en el trabajo.
- ¿De qué reacciones te sientes más orgullosa?

  - ¿De qué forma ayudó tu reacción a mejorar la situación?
  - ¿Cómo vas a afianzar esa reacción para el futuro?

(continúa)

- ¿Con qué facilidad se te ocurrió pensar en una alternativa, en una reacción que hubiera sido mucho mejor, una vez que se resolvió la situación? (¿No os parece curioso lo fácil que resulta resolver una situación cuando ya ha pasado todo?).

Capítulo 9

Y fueron felices para siempre. Tu historia

La felicidad no se encuentra, se libera.
—Joseph J. Luciani, doctor en Psicología, psicólogo clínico
y autor de la famosa serie *Self-Coaching*.

Si creemos en nuestros sueños, perseguimos nuestros objetivos, vivimos conforme a nuestros valores y nos queremos por como somos, todos salimos ganando. Nuestros hijos y nuestras familias ganan porque somos más felices y estamos menos estresadas, y nuestros compañeros de trabajo y empresas ganan porque somos más productivas y creativas. Cuando eres feliz, eres la mejor versión de ti misma. La felicidad es la marea que te permite navegar.

Con estas páginas esperamos haberte ayudado a entender que tu felicidad puede ser real. En cuanto reconozcas y aprecies el optimismo y la alegría en la vida, notarás cómo influye en tus hijos, en tu carrera o trabajo, y en tus relaciones con los demás. La felicidad está a tu alcance. Sólo tienes que ir a por ella, día tras día.

Feliz de verdad: historia de un hijo

Doug Barry publicó su primer libro, *Wisdom for a Young CEO*, con 15 años. Su madre es ejecutiva de servicios financieros.

Doug Barry narra la historia de su madre, una mujer trabajadora que supo compaginar el trabajo y la familia de modo que la situación fuera satisfactoria tanto para sí misma como para sus hijos.

«Cuando terminó el contrato de arrendamiento del primer coche de lujo de mi madre —un BMW marrón de 1986 que adoraba—, me cogió de la mano y me llevó a la entrada principal para que viera cómo se llevaban uno de los primeros frutos materiales de su carrera profesional.

»—Despídete, Dougie —me dijo—. La verdad es que no me impresionó tener que decir adiós a un coche viejo y usado, y jamás me habría podido imaginar con qué emoción volvería a hablar de aquella despedida cada vez que se la contara a alguien.

»Al recordarlo ahora me doy cuenta de que mi madre empezaba a ascender en su carrera y, en aquel momento, despedirse de aquel coche significaba mucho más para ella que el mero recuerdo de años y años de duro trabajo que la habían llevado ante las puertas de una nueva actividad mucho más lucrativa.

»No hace mucho, después de una cena en la que volvió a contar la despedida de su viejo sedán con ojos llorosos, le pregunté que por qué seguía recordando aquel coche con tanto cariño, y ella me contestó como si llevara años contándome una fábula con la esperanza de que algún día le hiciera esta pregunta.

»—Lo más importante cuando consigues tus objetivos y llegas a tu destino —me contestó— es que no se te olvide cómo llegaste hasta allí. Aquel coche me acompañó hasta una nueva etapa de mi carrera y fue el primero en el que te llevé a ti.

»Para aquel entonces, cuando se despidió de su BMW, mi madre había alcanzado el equilibrio entre su vida profesional y personal que yo siempre había deseado para mis adentros. Siempre se quedaba con nosotros cuando se suspendían las clases a causa de una gran nevada e incluso había conseguido reservar unas horas a la semana para ver cómo iban los proyectos que el colegio tuviera entre manos. Se tomaba muy en serio su trabajo, pero cuando salía, era toda nuestra. Aunque le gustaban los beneficios que se derivaban de su carrera, jamás se despojaba de sus viejos vestidos para lanzarse a los impecables trajes de moda sin antes pararse a mirarse en el espejo por última vez para recordar de dónde venía y la determinación que la había impulsado a seguir adelante».

La felicidad es una elección

Todas encontramos obstáculos en el camino que lleva a la felicidad. En ocasiones perdemos el norte, y en lugar de optar por un enfoque preventivo que nos ayude a resolver los problemas y dificultades, nos limitamos a reaccionar ante ellos. Permitimos que el miedo nos paralice y nos impida poner en práctica los recursos que nos ayudarían a alcanzar nuestra meta.

La sociedad tampoco nos ayuda, nos hace sentir culpables por ir a trabajar en vez de quedarnos en casa con nuestros hijos y nos acusa de perjudicarlos por ello. No obstante, muchas madres trabajadoras y sus hijos nos han contado su historia y nos han dicho lo contentos que están con sus vidas. Son madres trabajadoras y felices, que han sabido reconocer sus puntos fuertes, aferrarse a las alegrías de la vida y triunfar, al igual que sus hijos. La clave está en descubrir qué es lo que te hace feliz —ya sea trabajar o quedarte en casa con tus hijos— y hacerlo. Estas mujeres están contentas con su vida profesional y con su vida personal, y sus hijos y familiares también. Sus vidas no son perfectas, desde luego. Tienen que superar decepciones y contratiempos, como todos. Pero la diferencia está en que estas mujeres han elegido aferrarse con todas sus fuerzas a los aspectos positivos de la vida. Esto no significa que ignoren los aspectos negativos... si pueden, los cambian; y si no pueden cambiarlos, les restan importancia.

Nada es correcto o incorrecto al 100%. No ambiciones
la perfección. Mientras estés haciendo todo lo que
esté en tu mano, lo estarás haciendo bien.
—Susan, farmacéutica y madre de cuatro hijos, ya adultos

Dos mundos

Desde pequeñas nos imaginamos cómo nos gustaría que fuera nuestra vida, dónde queremos ir, qué nos gustaría hacer y cómo lo conseguiremos. Soñamos con una carrera, una familia, una educación y determinado estatus social, y también hay quien sueña con destacar, ayudar a los demás o incluso cambiar el mundo. Nuestros sueños forman parte de lo que somos. Sin embargo, los sueños y aspiraciones de las madres trabajadoras suelen terminar enterrados bajo una montaña enorme de luchas, responsabilidades, obligaciones y necesidades de otras personas. Pero todas podemos desenterrar las posibilidades. Empieza por elegir la felicidad.

Puede que tu vida sea tal y como te la habías imaginado, o que no pueda estar más lejos de lo que habías soñado hace años. En cualquier caso, la felicidad está a tu alcance: tan sólo tienes que aprender a quererte, a apreciar la belleza de la vida que te rodea y a utilizar tus puntos fuertes para dejar tu huella en el mundo.

Las madres trabajadoras viven en dos mundos separados. Con la mentalidad positiva te darás cuenta de todo lo que puedes mejorar en el trabajo gracias a tu condición de madre y todo lo que puedes mejorar como madre gracias a lo que aprendes en el trabajo. Son dos mundos separados, pero complementarios. Las madres trabajadoras tenaces, competentes y con habilidades de liderazgo triunfan en lo que el escritor e innovador filósofo y estratega de los negocios, Gary Hamel denomina la revolución de la nueva economía, el nuevo entorno laboral del siglo XXI.

Somos líderes entrenadas en las trincheras de la maternidad. Cuando las cosas se ponen difíciles, sabemos cómo conseguir ayuda, confiar en nuestra fortaleza y triunfar. Nuestros hijos nos quieren y están orgullosos de nosotras, al igual que nuestras parejas, maridos y familiares. Una buena parte de nuestra felicidad depende de nuestra capacidad de estar orgullosas de nosotras mismas, de lo que hacemos y de cómo lo hacemos.

Supera tus miedos

Ya hemos visto cómo nuestros miedos nos pueden bloquear hasta el punto de provocar una situación de apatía tanto en casa como en el trabajo —e impedir, por tanto, nuestra felicidad— si se lo permitimos. Tómate unos minutos para volver a pensar en los miedos y temores que impiden tu felicidad. Recuerda que ponerles un nombre es el primer paso que hay que dar para superarlos:

- Miedo a tener lo suficiente
- Miedo a no estar a la altura
- Miedo a aprender cosas nuevas
- Miedo a valorar mi rendimiento
- Miedo al éxito
- Miedo a tomar el control de una situación
- Miedo a tener demasiado poder

Empresas flexibles

Todos, hombres y mujeres, queremos que nuestros hijos sean felices, mantener a la familia unida y vivir una vida que nos llene por dentro. Ahora tenemos la posibilidad de crear políticas de empresa que permitan a sus empleados —padres y madres— compaginar sus carreras y sus obligaciones familiares. Tenemos que apoyar a los padres que deseen pasar más tiempo en casa para cuidar de sus hijos

—ya sean hombres o mujeres— y facilitarles la reinserción al mundo laboral cuando llegue el momento. Ningún padre debería preocuparse por la posibilidad de perder el trabajo o por el ridículo que pueda hacer ante sus compañeros si decide pasar más tiempo con su familia.

Oficina virtual

Gracias a la tecnología, el ambiente laboral en que nos movemos hoy es muy distinto del que vivieron nuestros padres. Un gran número de trabajos se pueden llevar a cabo sin tener que estar físicamente presentes, y muchas empresas han optado por esta posibilidad. Algunas incluso se han vuelto completamente virtuales, por lo que sus empleados pueden trabajar desde cualquier sitio, y el trabajo a distancia ha dejado de ser una excepción. Esta opción ha dado lugar a un gran abanico de posibilidades para todo el que quiera pasar más tiempo en casa con sus hijos y su familia. Sin embargo, hay que tener en cuenta los peligros de un estilo de vida que, si se lo permitimos, nos puede robar gran parte de nuestro tiempo y hasta convertirnos en trabajadores de 24 horas los 7 días de la semana. Al igual que ocurre con los hijos, es importante establecer ciertos límites en el horario laboral, el lugar de trabajo y las necesidades personales de los demás.

Historia de una madre

La coautora Cathy Greenberg ha vivido en sus propias carnes lo que significa convertirse en una trabajadora de 24 horas los 7 días de la semana.

«He decidido que el trabajo de mi vida es ayudar a los demás a evitar las dificultades que se derivan del círculo vicioso de la carrera (una de las seis trampas de la felicidad que presento en el libro que escribí con Dan Baker, *What Happy Women Know*, Rodale Press).

»Mediante el *coaching* ejecutivo y la asesoría para el desarrollo del liderazgo de Happy Companies Healthy People (h2c), ayudo a las personas a encontrar la verdadera felicidad en casa y en el trabajo».

«El tipo de trabajo del mundo industrial ha desaparecido —dice Sally Helgesen, asesora de desarrollo del liderazgo, tutora de *coaching* y autora de varios libros, entre ellos *Abierto las 24 horas: seis estrategias para navegar en el nuevo entorno profesional*—. Aun así, muchos de nosotros seguimos intentado vivir según sus reglas, ya obsoletas... Nos esforzamos por trabajar más y más rápido, en un intento de disciplinarnos a no perder ni un segundo, hacer varias cosas a la vez y mantener el ritmo a toda costa. Sin embargo, nuestros heroicos esfuerzos nos arrebatan la espontaneidad y la alegría, e incluso los pequeños placeres que deberían animarnos se convierten en una lista interminable de cosas por hacer que amenaza con ahogarnos».

Lo que las madres trabajadoras quieren

Las madres trabajadoras quieren puestos de trabajo en los que se reconozca su segunda tarea como madres. Hay sitios en los que esto se tiene en cuenta: los empresarios las entienden y están dispuestos a asumir sus necesidades; pero también hay quienes son menos comprensivos y, si una madre trabajadora tiene que salir del trabajo por algún motivo, las relaciones con sus compañeros se resienten.

Considera algunos de los resultados de la encuesta del Working Mother Media que mencionamos en el capítulo 1[1]:

- El 75% de las madres trabajadoras considera que sus jefes son comprensivos con sus necesidades familiares.
- El 69% ha solicitado algún cambio en su trabajo.
- Al 74% se le ha concedido el cambio que había solicitado (casi todos relativos a la flexibilidad de horario).

Rivalidades y funciones

La historia de las madres trabajadoras en Estados Unidos es complicada. Gracias al movimiento feminista, durante la década de 1970, las mujeres pudieron acceder a toda una serie de profesiones y puestos de trabajo que tradicionalmente ocupaban los hombres. Sin embargo, estas pioneras se vieron obligadas a elegir entre la familia o la carrera, por lo que muy pocas llegaron a ser madres trabajadoras.

No obstante, muchas jóvenes de la década siguiente se animaron a «conseguirlo todo», y decidieron formar una familia sin renunciar a sus carreras. Pero a partir de este momento empezó a crearse una doble moral: a los hombres que trabajaban para mantener a sus familias se les estimaba y respetaba, mientras que a las mujeres que hacían lo mismo se las consideraba egoístas. Numerosos boletines y artículos crearon y difundieron la falsa impresión de que las madres estaban perjudicando a sus hijos por el mero hecho de trabajar.

En lugar de apoyar la idea de que la elección entre quedarse en casa o ir a trabajar era personal, algo que las mujeres tenían que decidir por sí mismas en función de lo que las haría más felices, la sociedad decidió elevar el estatus del ama de casa a expensas de la madre trabajadora; y esta idea tan general, simplificada y cargada de juicios de valor, perjudicó tanto a hombres como a mujeres. La verdad es que, para ambos, las aspiraciones van cambiando con el tiempo, conforme van cambiando sus prioridades en la vida.

Nosotras defendemos la felicidad. Lo mejor sería que todos los miembros de una familia que trabajen, ya sean hombres o mujeres, puedan contar con una situación laboral flexible, capaz de adaptarse a sus carreras conforme vayan cambiando sus prioridades. Las madres trabajadoras son las que exigen más flexibilidad y, por tanto, cuando se encuentran en puestos destacados, crean esta flexibilidad para sí mismas y para los demás. Pero, si de verdad queremos un cambio de cualidad en el mundo del trabajo, tanto hombres como mujeres han de contar con horarios flexibles y con la posibilidad de tomarse un año sabático, de pedir una excedencia por un tiempo determinado o cualquier otra innovación del mundo laboral del siglo XXI.

Evaluación de tu felicidad

Al principio del libro, te preguntamos por los fundamentos de tu felicidad; te pedimos que te preguntaras qué tienes que hacer para ser feliz, qué personas juegan un papel esencial en tu felicidad, qué o quién te hace falta y por qué, y qué te costaría alcanzar la felicidad.

Puede que al principio —antes de que de verdad entendieras la importancia de creer en ti misma, de vivir conforme a tus valores y de lanzarte a la mentalidad positiva, que te hace reconocer todo lo bueno de la vida— no tuvieras tan claras tus respuestas.

Ahora vamos a volver a hacerlo, teniendo en cuenta el valor y las alegrías de tu vida:

Hazte las siguientes preguntas y contesta con sinceridad:

- ¿He sentado las bases para lograr la felicidad?

- ¿La gente que conozco me hace feliz?

  - ¿Los miembros de mi familia o mi pareja me hacen feliz?
  - ¿Las personas que trabajan conmigo me hacen feliz?
  - ¿Mis amigos me hacen feliz?

- Si la respuesta a alguna de estas preguntas es «No», ¿les has dicho alguna vez lo que tienen que hacer (o dejar de hacer) para que te sientas feliz?

  – Si no es así, ¿por qué?
  – Si se lo has pedido, ¿por qué no lo han hecho?

- ¿Qué más necesito para ser feliz?

  – ¿Se trata de cosas, personas, tiempo, energía, dinero, o algo más?
  – ¿Cómo lo puedo conseguir si no lo tengo?
  – ¿Puedo hacerlo sola o necesito la ayuda de alguien?
  – La ayuda que necesito, ¿está relacionada con el tiempo, la energía o el dinero?

- ¿Qué pasos tengo que dar a fin de poner las bases para mi felicidad?

Una vez que hayas contestado todas las preguntas, párate a pensar en tus respuestas. Cuando hayas reflexionado sobre ellas, con atención y sinceridad, habrá llegado el momento de actuar en nombre de tu felicidad. Ponte manos a la obra y decide firmemente ser feliz.

Guía de la felicidad

Esta guía te ayudará a no salirte del camino:

- Confirma tus acciones: piensa en los aspectos positivos.
- Sé valiente: ahorra tus fuerzas para lo que de verdad importa.
- Adopta la mentalidad positiva: en la vida hay suficiente para todos, para ti también.
- Ama la vida: las tristezas nos ayudan a valorar aún más las alegrías.
- Planifica y cede: unas veces tendrás que planear las cosas y otras veces tendrás que dejar que pasen.
- Descubre tu sabiduría: confía en ti.
- Elige la felicidad: renueva tu decisión día tras día.

Narra tu historia

Ya que has leído las historias de tantas madres trabajadoras, de todas las edades, de todo el planeta, de todas las condiciones sociales, y cómo han elegido aferrarse a la felicidad, ha llegado tu turno. Piensa en lo especial que eres como persona y cuenta tu historia. Ha llegado el momento de redefinir qué quieres en la vida y por qué. Empieza por aceptar quién eres e identificar tus puntos fuertes.

Contar tu historia es un paso importante en tu camino personal hacia el éxito como madre trabajadora. No importa si estás casada o no, si eres empleada o autónoma, si llevas una vida normal y corriente o si está llena de contínuos desafíos. Nuestra motivación en la vida no cambia por el simple hecho de que las circunstancias no ayuden. Lo único que tenemos que hacer es reorganizar nuestro tiempo y buscar la ayuda de los demás.

Un cuento personal

Lo bueno de la escritura es que nos permite caer en la cuenta de lo que es posible. Jim Loehr, fundador del Human Performance Institute, ha ayudado a miles de deportistas, con su Sistema de Entrenamiento del Atleta Corporativo, a tomar conciencia de sus capacidades a través de la escritura. En su libro *Power of Story: Rewrite Your Destiny in Business and in Life* (Free Prees, 2007) expone su enfoque con todo lujo de detalles.

Al narrar tu historia, creas un relato sincero que te obliga a dar un orden y una profundidad a los acontecimientos de tu vida, al tiempo que te proporciona una mayor estima de ti misma. Es la verdadera historia de tu pasado y tu visión del futuro. El relato de tu vida te transmitirá una fuerza que te acompañará a la hora de plantarle cara a los momentos más difíciles. Resulta esencial poder contar con una voz interior que te ayude a narrar la historia de tu vida, para ti misma y para los demás. A diferencia de los ejercicios anteriores, centrados en aspectos específicos, esta historia abarca todos los aspectos de tu vida. Tu historia ejercerá una gran influencia sobre ti al ponerte ante todas las verdades de tu vida, el vocabulario de tu vida y el final que consideres adecuado para ti. Mientras la escribas, recuerda adónde quieres que la historia te lleve.

Desde hace mucho tiempo se sabe que la escritura influye enormemente en nuestro rendimiento, así que ármate de valor y date la oportunidad de crear tu historia, una historia capaz de captar toda la fuerza que hay en ti como madre trabajadora. Ahora tienes la oportunidad de ser una guía para ti misma.

El modo en que elijas contar tu historia dirá mucho sobre ti. Todos encontramos sinuosidades y repechos que nuestros errores han creado en el camino de nuestra vida. Puedes limitarte a contar la historia de tus desilusiones o aprovechar para contar la historia de la persona que quieres que los demás vean en ti: la versión más positiva de ti misma. La perspectiva que decidas dar a tu historia depende de ti, al igual que la decisión de comprometerte a buscar la felicidad.

Feliz de verdad

La madre de Genevieve Bos tuvo que criar a su hija ella sola. Era una artista que tenía que compaginar varios trabajos para llegar a fin de mes. Bos dice que eso fue lo que, de niña, le infundió el deseo de prosperar cuando fuera mayor. Afirma que de pequeña solía mirar los anuncios del periódico y pensar: «Eso es lo que quiero hacer yo».

«Sabía que podía cambiar la situación con uno de esos trabajos... Me moría de ganas de hacerme mayor», dice Bos.

Y lo hizo. Entre los éxitos de su carrera destaca la pu-

(continúa)

blicación de *Business to Business*, la publicación de negocios más famosa de Georgia (Atlanta), sobre la que Bos dio numerosas conferencias cuyas entradas se agotaron rápidamente. Pasó dos décadas dedicándose a la venta internacional de productos de software antes de fundar la revista *PINK*.

Hoy, Bos es la madre virtual de las numerosas mujeres a las que ayuda en su trabajo y en sus vidas. Su definición de la felicidad es:

«Lo que quieras, cuando quieras, con quien quieras y como quieras».

Resiste la presión social. Sé rebelde. Reconoce lo que quieres y ve a por ello. Desecha el sentimiento de culpa, que no le hace bien a nadie. Cuídate, para poder cuidar de los demás.
—Britt van den Berg, directora del Consejo Global para la Diversidad y la Inclusión/ Búsqueda de Talentos, Philips International.

Reflexiona sobre esto: cuando piensas en la historia de tu vida, ¿le das más importancia a lo positivo o a lo negativo? ¿A tus puntos fuertes o a tus debilidades? Tú eliges. La perspectiva depende de ti. Nosotras esperamos que seas capaz de ver todo lo bueno de la vida y que escribas tu historia desde un punto de vista positivo.

Loehr nos aconseja revisarla y corregirla varias veces hasta que quede como nosotras queramos. Vale la pena. Tener tu historia plasmada en un papel marca la diferencia. Y que no se te olvide que tu historia irá cambiando conforme vaya cambiando tu vida.

Tu historia

Escribe tu historia. Para ayudarte a empezar, te proponemos las siguientes preguntas:

- ¿Cuáles son tus puntos fuertes?
- ¿Qué te gusta de ti misma?
- ¿Cuáles son tus valores?
- ¿Qué es lo que más te gusta de tus hijos?
- ¿Qué es lo que a tus hijos les gusta más de ti?
- ¿Qué es lo mejor que hay en ti?

Ahora haz una descripción del personaje principal: tú. Por ejemplo, si conoces a alguien en una fiesta, o en una reunión, y quieres que te conozca bien, ¿qué le dirías? Tienes que ser sincera.

Triunfa... sobrevivir no es suficiente

Puede haber días en que tus obligaciones de madre trabajadora te dejen completamente agotada y lo único que quieras sea sobrevivir, acabar ese proyecto del trabajo o que termine esa etapa por la que están pasando tus hijos, y crees que lo único que puedes hacer es aguantar hasta que todo se acabe y las cosas empiecen a ir mejor.

Te desafiamos a apuntar más alto. Sobrevivir no es suficiente. Tu objetivo es triunfar. Este libro te ha marcado el camino.

Tienes que entender que la felicidad no es un lujo, sino una necesidad. La ciencia de la felicidad demuestra que cada uno establece su nivel de felicidad en función de sus elecciones. Los puntos fundamentales de la felicidad de una madre trabajadora son:

H	*Healthy*	Saludable, fuerte
A	*Adaptative*	Adaptable, flexible
P	*Proud of your family*	Orgullosa de tu familia
P	*Proud of your work*	Orgullosa de tu trabajo
Y	*Young at heart*	Joven de corazón

Ahora ya sabes que tu felicidad es lo que hará que tus hijos sean felices y que resulten no perjudicados por tu trabajo, siempre y cuando éste te haga feliz. Cuando las cosas se pongan difíciles, pide ayuda, porque nadie puede conseguirlo solo. Y sé tú misma. Sé auténtica: la única persona que puede triunfar en tu interior eres tú. Y tú eres mejor cuando eres feliz.

Consejo para la felicidad: la felicidad llega cuando aprendes a aceptar que se te quiere y se te valora por ser quien eres, y no por lo que haces.

Enhorabuena. Leer este libro es el primer paso hacia una vida más feliz. Ahora ve y elige ser feliz día tras día.

Diez consejos para la felicidad

- Aprende a quererte a ti misma igual que quieres a tus amigos y a tu familia (capítulo 1).
- En la vida pasa de todo, pero tus verdaderas experiencias serán las cosas a las que les hayas dado más importancia. Concéntrate en lo positivo (capítulo 2).
- Aprende a perdonarte a ti misma y a los demás (capítulo 3).
- La felicidad surge del perfecto equilibrio entre los ingredientes de la vida: trabajo, tiempo con los amigos y seres queridos, ejercicio, diversión e incluso soledad. Si te saltas uno de ellos, la receta será un fracaso (capítulo 4).
- Cuando tienes claro lo que quieres hacer en la vida, ya tienes la mitad de la batalla ganada; la otra mitad se gana celebrando tus éxitos en el camino (capítulo 5).
- En cuanto aceptes que no eres perfecta y que te puedes equivocar de cuando en cuando, habrás dado un paso de gigante hacia la libertad y la felicidad (capítulo 6).

- No te exijas más de lo que exiges a tus seres queridos. A ellos les permites y les pasas por alto muchas cosas. Tú también te lo mereces (capítulo 7).
- Saber cuándo decir «No» y cómo hacerlo sin sentirnos culpables aumenta nuestra satisfacción vital y, por tanto, somos más felices (capítulo 7).
- Puede que tengas que tomar otro camino distinto del que pensabas, pero los desvíos valen la pena porque se aprende mucho más de los errores que de los éxitos (capítulo 8).
- La felicidad llega cuando aprendes a aceptar que se te quiere y se te valora por ser quien eres, y no por lo que haces (capítulo 9).

Notas

Introducción

1. www.bls.gov/cps/wlf-table7-2008.pdf; www.bls.gov/cps/wlf-intro-2008.pdf
2. Dan Baker, Cathy Greenberg y Collins Hemingway, *Empresas felices = Empresas rentables.*
3. Proyecto Trabajo, Comunidad y Familia de la Universidad de Brandeis y Catalyst, http://my.brandeis.edu/news/item?news_item_id=7135
4. Instituto Americano de Medicina Ambiental y Ocupacional, Judith A. Ricci, Elsbeth Chee, Amy L. Lorandeau y Jan Berger. Revista de Medicina Ambiental y Ocupacional, 2006; 49 (1): 1-10; www.acoem.org
5. *The Motherhood Study: Fresh Insights on Mothers' Attitudes and Concerns*, Martha Farrell Erickson y Enola G. Aird © 2005. Instituto de Valores Americanos, con permiso de reimpresión, http://center.americanvalues.org/p=10

CAPÍTULO 1. LA FELICIDAD NO ES UN LUJO, ES UNA NECESIDAD

1. Encuesta de Working Mother Media,
   http://www.workingmother.com/?service=vpage/131
2. Dan Baker, Cathy Greenberg y Collins Hemingway, *Empresas felices = Empresas rentables.* Rollin McCraty y Doc Chilre, *The Appreciative Heart: The Psychophysiology of Positive Emotions and Optimal Functioning*, Institute of HeartMath (2003).
3. Dan Baker, Cathy Greenberg y Collins Hemingway, *Empresas felices = Empresas rentables.*
4. Estudio del centro de investigación de la Universidad de Brandeis: *After-School Worries: Tough on Parents, Bad for Business.*
   http://my.brandeis.edu/news/item?news_item_id=7135
5. Instituto Americano de Medicina Ambiental y Ocupacional, Judith A. Ricci, Elsbeth Chee, Amy L. Lorandeau y Jan Berger. *Revista de Medicina Ambiental y Ocupacional*, 2006; 49 (1): 1-10; www.acoem.org/news.aspx?id=2530
6. www.iopener.co.uk/happinessatwork
7. Comunicado de prensa de Hewitt & Associates:
   www.hewittassociates.com
8. www.whatisyourhappiness.com

CAPÍTULO 2. LA CIENCIA DE LA FELICIDAD

1. Marshall Goldsmith, Cathy Greenberg, Alastair Robertson y Maya Hu-Chan, de *Global Leadership: The Next Generation* (Financial Times Prentice Hall, 2003).
2. Comunicado de prensa:
   http://www1.umn.edu/news/features/2005/UR_39218_REGION1.html

3. Comunicado de prensa:
   http://www1.umn.edu/news/features/2005/UR_39218_REGION1.html

4. Comunicado de prensa:
   http://us.penguingroup.com/static/html/blogs/what-in-fluences-our-happiness-most-sonja-lyubomirsky

5. *Biobehavioral Responses to Stress in Females: Tend-and-Befriend, Not Fight-or-Flight*, Shelley E. Taylor, Laura Cousino Klein, Brian P. Lewis, Tara L. Gruenewald, Regan A.R. Gurung y John A. Updegraff, Universidad de California, Los Ángeles; Psychological Review 2000, vol. 107, n.º 3,411-429, The American Psychological Association, Inc.
   www.apa.org/journals/rev.html http://www.findem.com.au/resources/tendandbefriend.pdf

6. Comunicado de prensa:
   http://medschool.umaryland.edu/innovations.asp

7. Comunicado de prensa:
   http://somvweb.som.umaryland.edu/absolutenm/templates/?a=630

8. De PubMed.gov, servicio de la biblioteca nacional de Estados Unidos sobre Medicina e institutos nacionales de salud, *Psychosocial variables are associated with atherosclerosis risk factors among women with chest pain: the WISE study*, Rutledge T., Reis S.E., Olson M., Owens J., Kelsey S.F., Pepine C. J., Reichek N., Rogers W. J., Merz C. N., Sopko G., Cornell C. E. y Matthews K. A. (Universidad de Pittsburgh, Pensilvania); Psychosom Med. 2001 marzo-abril; 63(2):282-8.
   www.ncbi.nlm.nih.gov/pubmed/11292277

9. *Emotional Style and Susceptibility to the Common Cold*, Sheldon Cohen, William J. Doyle, Ronald B. Turner, Cuney M. Alper y David P. Skoner, 2003. Sociedad Americana de Medicina Psicosomática; departamento de Psicología, Uni-

versidad Carnegie Mellon (Pittsburgh), departamentos de Otorrinolaringología y Pediatría; hospital infantil de Pittsburgh; Facultad de Medicina de la Universidad de Pittsburgh (Pensilvania) y departamento de Pediatría de la Facultad de Medicina de la Universidad de Charleston (Carolina del Sur) —actualmente, Facultad de Ciencias de la Universidad de Charlottesville (Virginia)—; Medicina Psicosomática 65:652-657 (2003).

www.psychosomaticmedicine.org/cgi/content/abstract/-65/4/652

http://pmbcii.psy.cmu.edu/cohen/keynotepresentation.pdf

10. Asociación Americana de Psicología, *Helping People Flourish Best Boosts Their Mental Health*, vol. 36, n.º 10, noviembre de 2005, 64.

www.apa.org/monitor/nov05/flourish.html

11. *Positive Affect, and the Complex Dynamics of Human Flourishing*, Barbara L. Frederickson (Universidad de Michigan) y Marcial F. Losada, (Universidad católica de Brasilia), American Psychologist, 2005; Asociación Americana de Psicología, 0003-066X/05, vol. 60, n.º 7, 678-686.

www.unc.edu/peplab/publications/human_flourishing.pdf

Capítulo 3. Cómo puede aplicar el método H. A. P. P. Y. una mujer trabajadora

1. Asociación Americana de Dietética:
www.eatright.org/cps/rde/xchg/ada/hs.xsl/home_4485_ENU_HTML.htm

2. Más información en:
www.amenclinics.com

3. Más información en:
www.eatright.org/cps/rde/xchg/ada/hs.xsl/nutrition
_19749_ENU_HTML.htm

Capítulo 4. El sentimiento de culpa, ¿para qué sirve?

1. Salary.com: www.salary.com
2. Página web: www.billilee.com/pages/FS1720.tml?page=
P1720-16.html
3. Página web: www.talentplus.com/talent_plus.php?page_
id=1013
4. Artículo *Men and Women—Differing Drivers in the Development of Senior Executive Talent,* Sally Helgesen y Marta Williams: www.sallyhelgesen.com

Capítulo 5. Cuando mamá no está contenta, ¡nadie está contento!

1. Doctora Jody Heymann, fundadora del Project on Global Working Families de la Universidad de Harvard y directora del Instituto de Política Social y Sanitaria de la Universidad canadiense McGill: *The 2007 Work, Family and Equity Index: How Does the U.S. Measure Up?* (con datos actualizados del estudio de Heayman de 2004, Universidad de Harvard): www.mcgill.ca/files/ihsp/WFEI2007.pdf www.mcgill.ca/newsroom/news/item/?item_id=23720
2. *100 Best Companies, Working Mother Magazine*: www.workingmother.com/?service=vpage/109

Capítulo 6. ¿Y qué pasa con los hijos?

1. Comunicado de prensa: www.psy.utexas.edu/psy/announcements/news2005.html
   «El hecho de que las madres trabajen no perjudica el desarrollo de los niños», comunicado de prensa, 25 de marzo de 2005: www.utexas.edu/news/2005/03/25/human_ecology

2. Estudio de 1999 de Elizabeth Harvey, que en aquel momento trabajaba para el departamento de Psicología de la Universidad de Connecticut y ahora trabaja en Amherts, en la Universidad de Massachusetts.
   http://people.umass.edu/eharvey/publications/devpsycharticle.pdf
   Asociación Americana de Psicología del Desarrollo, 1999, vol. 35, n.º 2, 445-459.

3. Recopilado por Child Trends: www.childtrends.org

4. De Child Trends: investigación sobre las ciencias sociales, Washington, D.C.
   www.childtrendsdatabank.org

5. Encuesta Nacional de Adolescencia y Juventud, 2000-2001: encuesta a los padres y a sus hijos (de edad comprendida entre los 8 y los 15 años); Talking with Kids es una campaña de Kaiser Family Foundation y Children Now: www.talkingwithkids.org/nickelodeon/summary.pdf

6. Boletín de 2004 sobre la ética de la juventud americana: http://charactercounts.org/programs/reportcard/2004/index.html

Capítulo 7. Cuando las cosas se pongan difíciles, pide ayuda

1. Estudio de 2004 de Leger Marketing para Wyeth Canada, cortesía de la Asociación Canadiense de Salud Mental: www.cmha.ca/data/1/rec_docs/649_Executive%20Summary%20(ENGLISH)%20Final.pdf
2. Reimpresión por cortesía de Renee Peterson Trudeau, 2007: *The Mother's Guide to Self-Renewal: How to Reclaim, Rejuvenate, and Rebalance Your Life*, de Renee Peterson Trudeau: www.careerstrategists.net

Capítulo 8. Recapitulemos...

1. Página web del doctor Joseph J. Luciani: www.self-coaching.net

Capítulo 9. Y fueron felices para siempre. Tu historia

1. Encuesta de Working Mother Media: http://www.workingmother.com/?service=vpage/131

Otros recursos

BIBLIOGRAFÍA RECOMENDADA

Daniel Amen, *Making a Good Brain Great* (Nueva York: Three Rivers Press, 2005).

Tal Ben-Shahar, *Ganar felicidad* (RBA Libros, 2008).

J. Bort, A. Plfock y D. Renner, *Mommy Guilt: Learn to Worry Less, Focus on What Matters Most, and Raise Happier Kids* (Nueva York: AMACOM, 2005).

Louann Brizendine, M. D., *El cerebro femenino* (Círculo de Lectores, 2007).

Wayne W. Dyer, *El poder de la intención* (Nuevas Ediciones de Bolsillo, 2006).

Carol Evans, *This Is How We Do It* (Nueva York: Hudson Street Press, 2006).

Jenifer Fox, *Your Child's Strengths* (Nueva York: Viking Penguin, 2008).

Barbara L. Fredrickson, *Positivity: Groundbreaking Research Reveals How to Embrace the Hidden Strength of Positive Emotions, Overcome Negativity, and Thrive* (Nueva York: Crown, 2009).

Marshall Goldsmith, *Succession: Are You Ready?* (Boston: Harvard Business School Press, 2009).

Marshall Goldsmith, *What Got You Here Won't Get You There: How Successful People Become Even More Successful* (Nueva York: Hyperion, 2007).

Mark Goulston, *Get Out of Your Own Way at Work... And Help Others Do the Same: Conquer Self-Defeating Behavior on the Job* (Nueva York: Perigee Trade, 2007).

Lisa Hein, *I'm Doing the Best I Can* (Sirena Press, 2007).

Betty Holcomb, *Not Guilty! The Good News for Working Mothers* (Nueva York: Touchstone/Simon & Schuster, 1998).

Richard Layard, *La nueva felicidad: lecciones de una nueva ciencia* (Taurus Ediciones, 2005).

Leslie Morgan Steiner, *Mommy Wars: Stay-at-Home and Career Moms Face Off on Their Choices, Their Lives, Their Families* (Nueva York: Random House, 2007).

Deborah Moskovitch, *The Smart Divorce: Proven Strategies and Valuable Advice from 100 Top Divorce Lawyers, Financial Advisers, Counselors, and Other Experts* (Chicago: Chicago Review Press, 2007).

Dee Dee Myers, *Why Women Should Rule the World* (Nueva York: HarperCollins, 2008).

Jeffrey M. Schwartz y Sharon Begley, *The Mind and the Brain* (Nueva York: HarperCollins, 2002).

Marci Shimoff y Carol Kline, *Feliz porque sí: siete pasos para alcanzar la felicidad desde el interior* (Ediciones Urano, 2008).

Renée Trudeau, *The Mother's Guide to Self-Renewal: How to Reclaim, Rejuvenate, and Rebalance Your Life* (Medina, OH: Balanced Living Press, 2008).

Jamie Woolf, *Mom-in-Chief: How Wisdom from the Workplace Can Save Your Family from Chaos* (Hoboken, NJ: John Wiley & Sons, 2009).

American Heart Association (www.americanheart.org): Asociación Americana del Corazón.

Barrett S. Avigdor Working Moms Blog (www.barretta-vigdor.com): coautora, abogada y tutora de *coaching*. El blog de Barrett S. Avigdor ofrece a las madres trabajadoras toda una serie de consejos para tener éxito en el trabajo, en casa y en la vida.

College of Executive Coaching (www.executivecoachcolle-ge.com): centro acreditado de *coaching* personal y ejecutivo. Ofrece, asimismo, servicios de *coaching* y sofisticados programas de desarrollo del liderazgo. Boletín sobre cuestiones prácticas y consejos, gratis.

First 30 Days (www.first30days.com): todo sobre el cambio positivo mediante boletines, información de expertos e ideas sobre la carrera, familia, forma física, economía, tecnología y mucho más.

Barbara L. Fredrickson (http://blogs.psychologytoday.com/authors/barbara-l-fredrickson-phd): blog de la psicóloga social y educadora sobre la prosperidad humana y la positividad.

Marshall Goldsmith (www.marshallgoldsmith.com): sociedad de *coaching* ejecutivo dedicada al desarrollo de los líderes de los negocios.

h2c, Happy Companies Healthy People (www.h2clea-dership.com): el h2c es un faro que guía a las empresas felices, a la gente sana y a los líderes de talento. Con su exclusiva fórmula «Felicidad = Beneficios» aplicada al desarrollo ejecutivo, la empresa se vale de la ciencia de la felicidad para lograr resultados extraordinarios empleando los conocimientos del *coaching*, así como sus instrumentos y técnicas, a través de redes asociadas. Con ello proporciona una mejor percepción personal, un mayor grado de desarrollo, más éxito en la carrera y una mayor satisfacción de la vida.

Institute of HeartMath® (www.heartmath.org): organización no lucrativa e internacionalmente reconocida, dedicada a la educación e investigación de los mecanismos psicológicos implicados en la comunicación entre la mente y el corazón, para que las personas que lo deseen puedan confiar en la inteligencia que se deriva de la armonía entre el corazón y la mente y aplicarlo a su vida en casa, a los estudios, al trabajo y a las actividades de ocio.

Kyle's Treehouse (www.kylestreehouse.org).

The Marcus Buckingham Company (www.marcusbuckingham.com): página web del famoso conferenciante y autor Marcus Buckingham.

Mom Corps (www.momcorps.com): información en línea sobre el trabajo en general, puestos de trabajo, soluciones a problemas de personal, eventos, servicios y mucho más para quienes hayan optado por salir del mundo laboral tradicional. Diseñado por una madre trabajadora para todas las mamás.

Karen Salmansohn (www.notsalmon.com): escritora de éxito y tutora de autoayuda, Bounce Back TV.

Talent Plus (www.talentplus.com): sociedad de asesoría en recursos humanos que durante casi cinco décadas ha aplicado los estudios científicos sobre el éxito para lograr que las organizaciones basadas en el talento consigan un alto rendimiento.

Renée Trudeau (www.reneetrudeau.com): autora de *The Mother's Guide to Self-Renewal: How to Reclaim, Rejuvenate, and Rebalance Your Life*; tutora de *coaching* dedicado al equilibrio entre la vida y la carrera; y presidenta de Career Strategists

(Austin, Texas). Su página web ofrece información sobre la renovación personal.

True North Leadership Inc. (www.truenorthleadership. com): página web dedicada al desarrollo de las dotes organizativas y ejecutivas que ofrece soluciones innovadoras de preparación para la gestión, así como programas de entrenamiento para el liderazgo, aplicando los instrumentos y técnicas de la inteligencia emocional.

U.S. Department of Agriculture (www.nutrition.gov): Ministerio de Agricultura de Estados Unidos.

w2wlink (www.w2wlink.com): comunidad dedicada a las profesionales, que ofrece los conocimientos e instrumentos necesarios para superar los obstáculos que se les puedan presentar. También está en contacto con otros grupos en línea.

What Women Want Study
(http://meredith.mediaroom.com/index.php?s=press_ releases&item=419): de Meredith Corp., una compañía líder en los sectores del marketing y la comunicación, y NBC Universal, que realizó una encuesta en 2008 en la que se preguntó: ¿Qué quieren las mujeres?

Wiser Ways to Work® (www.wiserwaystowork.com): expertos en desarrollo del personal y asesoría de gestión. Asimismo, ofrece toda una serie de recursos informativos.

Working Mother Media Survey (www.workingmother. com): encuesta del Working Mother Media.

INSTRUMENTOS PARA EVALUAR TUS PUNTOS FUERTES

American Psychological Association (www.apa.org): la Asociación Americana de Psicología ofrece un gran número de instrumentos que te permitirán explorar tus puntos fuertes. Véase también el APA Help Center.

Center for Creative Leadership (www.ccl.org): el Centro para el Liderazgo Creativo se dedica a la educación e investigación orientadas al liderazgo, al tiempo que ofrece conocimientos prácticos a la hora de resolver problemas de liderazgo a nivel individual y de empresas.

CPP Inc. (www.cpp.com): antes conocido como Consulting Psychologists Press, el CPP Inc. es un centro de publicación y proveedor de productos e instrumentos entre los que se encuentran el Myers-Briggs Type Indicator® (MBTI®) y el FIROB® (orientación del comportamiento en las relaciones interpersonales).

Positive Psychology Center (www.authentichappiness.sas. upenn.edu): Martin Seligman, director del centro de psicología positiva de la Universidad de Pensilvania y autor de *La auténtica felicidad* (Nuevas Ediciones de Bolsillo, 2006), nos ofrece toda una serie de cuestionarios que nos permitirán evaluar nuestro grado de bienestar en el mundo que nos rodea. Incluye la encuesta titulada: Children's Strength Survey.

TalentPlus (www.talentplus.com): expertos en la Ciencia del Talento (véase el epígrafe anterior: páginas web).

Índice analítico

Agradecimientos

Para escribir un libro sobre la felicidad y las mujeres trabajadoras, hemos necesitado que mucha gente nos contara su experiencia y nos ofreciera su apoyo. Ante la imposibilidad de daros las gracias individualmente, con nombres y apellidos, os queremos dedicar aquí un sincero agradecimiento.

Merecen mención especial:

- Warren Bennis, Marshall Goldsmith y Noel Tichy, que han sido una guía para Cathy y nos han proporcionado apoyo moral e intelectual para este libro cuando más lo necesitábamos;
- Joel Stern, Nancy Laben y Mike Brownell, mentores de Barrett. Con su caluroso apoyo y las oportunidades que le ofrecieron para que pudiera encontrar su equilibrio de vida ideal, hicieron posible este libro;
- Nuestros amigos Mark Goulston, Relly Nadler y Grace Killelea, por su entusiasmado interés en la

materia y por los ánimos con que nos motivaron durante el desarrollo del libro;

- Melissa Winter, jefe de plantilla del Team MO (Michelle Obama) durante la campaña electoral; y Christie Hefner, por habernos brindado la oportunidad de conocer a Melissa y a Michelle en Chicago;
- Britt van den Berg, de Philips Corporation, a la que quedamos especialmente agradecidas por habernos apoyado desde el principio;
- Alison O'Kelly y Caroline Evans, de Mom Corps, por haber publicado nuestra encuesta en Internet, lo cual nos facilitó información de cientos de mujeres; y Angel Johnson, que acaba de ser madre, por la organización final de los datos;
- Larry E. Smith, jefe de división de Training; y demás directivos de Wal-Mart Stores, Inc., Bentonville (Arkansas), por darnos la oportunidad de hablar con los empleados de Wal-Mart;
- Johanna Dillon y Bill Lombardo, ambos de Bankers Life & Casualty Company: Johanna, directora de Field Leadership y del departamento de perfeccionamiento del personal directivo, que nos ayudó a crear el ejercicio «La voluntad de ser felices»; a Bill, director principal de Bankers Learning Network, le agradecemos su apoyo;
- Lauren Lynch, nuestro estupendo editor de John Wiley & Sons, que creyó en nuestra idea y cuya ayuda para sacarla a la luz es incalculable; gracias, también, a Peter Knapp y Kate Lindsay;
- Susan J. Marks, por ayudarnos a encerrar tantas ideas en nueve capítulos coherentes;
- Mike Drew, el promotor y asesor del libro, merece

un caluroso agradecimiento por su paciencia y por habernos acompañado a lo largo de todo el camino;

- Todas las mujeres, tan especiales y extraordinarias, cuyas historias se recogen en este libro, por su tiempo, su confianza y su excepcional optimismo;
- Todas las grandes empresas que nos ofrecieron su ayuda y nos permitieron hablar con sus empleados;
- Por último, y no por ello menos importante, los cientos de mujeres que participaron en nuestras sesiones de grupo y que nos permitieron entrevistarlas. Su sinceridad, su humor, su humildad y su fuerza fueron una gran inspiración para nosotras. Un agradecimiento especial merecen las mujeres que formaron parte de las sesiones de grupo del Wal-Mart Distribution Centers. Esperamos que reconozcáis vuestras citas y vuestra sabiduría lo largo de esta obra.